人をひきつける
「頭のいい人」の話す力

齋藤 孝

大和書房

まえがき

●3分なら相手も我慢する

話すという行為は日常的にやっていることなので、たいていの人は「3分程度のスピーチなら、なんとかなるだろう」と考えがちだ。多少のプレッシャーはあってもどうにかこなせる、と思っている人も多いだろう。

だが、実際はそうではない。**3分程度なら聞くほうの人が我慢できるから、何とかなっているというケースが多いのだ。**

商談や面接・プレゼンテーションなど、現実の生活では10分くらい話さなくてはならないことはけっこう多い。その場合、ただしゃべっていても意味がない。聞く人をひきつけなくてはならない。

人は10分も話を聞けば、相手についてたいていの判断はつく。ごまかしはきかないのだ。

その10分で人をひきつけられるから、次の10分がもらえる。チャンスが生まれる。

最初の10分で人をひきつけられる話ができなければ次はない。10分話す力があるかどうかに、仕事や恋愛など人生の浮沈(ふちん)がかかることもあるわけだ。

そうなると10分話すことの恐ろしさと重要性がわかってこないだろうか。

人を10分ひきつけて話すことは、トレーニングなしには絶対できない。2~3キロなら普通に走ることはできても、10キロ走るためにはトレーニングしなければならない。原稿用紙2~3枚ならなんとなく書けても、10枚書くにはトレーニングしなければならないのと同じだ。

本書では、その「話す力」をつけるためのトレーニング方法を提示していきたい。

◉話がヘタな人とうまい人の決定的な差

この本でいう「話す」とは、日常的な会話など少人数のコミュニケーションではなく、**メッセージを多人数に向けて発信すること**をいう。

自分がどれだけの人をひきつけて話ができるか。この本では目標を１００人としたい。１００人というと、多すぎるんじゃないかと思うかもしれない。しかし、実生活の中での面接や商談のシーンを考えてほしい。

たとえば、10人の役員面接だ。役員ともなれば、20年以上ビジネスの第一線で働き、勝ち残ってきた人たちだ。一人ひとりが10人分くらいのプレッシャーを当然持っている。10人×10人で１００人だ。１０００人規模の会社の社長なら、その負うものの大きさからして、１人でも１０００人に相当するプレッシャーがあるだろう。

商談で「簡単にあなたの会社の商品は買わないよ」「その提案には、まずＯＫはしないよ」という心構えの人を相手にプレゼンテーションするときも、受けるプレッシャーは相当なものになる。

また、一人ひとりは普通の人だとしても、100人も集まった会場で話すとなると、やはり厳しいプレッシャーを感じる。自分のすべてを見透かされているような気さえする。

たいていの人は、話す訓練はあまりしていなくとも、聞くという行為は日頃から、かなりやっている。その話に聞く価値があるかないか、シビアに判断できるものだ。**仲間内で話すようなプライベートな状況と、パブリックな場で話すことの大きな違いは、この聞き手から受けるプレッシャーにある。**

プレッシャーを乗り越え、1人の人をひきつけられる力を1馬力とすれば、やはり100馬力くらい、つまり100人をひきつけるくらいのエネルギー量はほしい。

それだけのエネルギー量がなければ、話を聞いてもらった人の心に、共感や新しい発見を起こすことはできない。この本では、その力をつけるための方法も伝授していく。

●面接・プレゼンテーションを勝ち抜く力

ＴＢＳの安住紳一郎（あずみしんいちろう）アナウンサーが明治大学の学生だったとき、私の授業で１００人ぐらいの学生を前に話をしてくれたことがある。私は３分ももてばいいと思っていたのだが、彼は30分間ぐらい滔々（とうとう）と意味のある話をし続けて、しかも聞いている学生を飽きさせなかった。天才的に「話す力」のある学生さんだと思っていたら、ＴＢＳのアナウンサー試験を突破し、現在はテレビ界で活躍している。テレビ局のアナウンサー試験は狭き門だ。そこを突破し、トップアナウンサーになるには彼くらいの話す力が必要なのだろう。

人をひきつける話をするためには、まず**きちんとした内容**が必要である。

また、声の張りや視線など、**聞く人に向かう身体の力**が必要になる。

さらに、場の雰囲気を感知して冷静に対処できる**ライブな能力**がいる。

話すことは、そうした人間としての総合力を要求される。つまり、話す力を見れば、その人間のポテンシャルがわかってしまう。企業の採用シーンで面接が最重要視されるのには、ちゃんとした理由があるのだ。

面接やプレゼンテーションなど人生の重要なシーンで、人をひきつける「話す力」があるかないかによって、自分自身の道は大きく変わる。人生の希望を実現させるためにも、ぜひこの力を身につけてほしい。

１００人をひきつける話す力を持つためには、トレーニングが必要だ。といっても、**単に場数をこなすだけでは「話し慣れ」はするが、本当の話す力は身につかない。**

たとえば、日常的に１００人くらいの人に向かって話をする機会は、教師や社会的地位の高い人に多いだろう。しかし、そうした人の多くは話し慣れているだけで、じつは人をひきつけていない場合も多い。それでは仕方がない。

この本では、きちんと人をひきつける話ができるようになる、有効なトレーニング方法を提示していく。

●「話し上手な人」の真似したい3つの技

話し上手と言われる永六輔さんや黒柳徹子さんのような方は、話す力が1000馬力はある。つまり、1000人ぐらいの人を1時間以上、ぐいぐいと自分の話にひきつけることができるのだ。

その力の秘密はまず話のネタが多いことだ。**いろんな知識・知恵・体験がつまったエピソードを大量にストックしている。**友達同士ならノリだけの話でもいいが、相手が多くなれば、話の中の意味の含有量が高くなければ聞いてもらえない。

そして、**場の空気を感知する力がものすごく強い。**今、話していることが、聞き手にどんな反応を起こしているか、その場の雰囲気を敏感に感知している。そして、相手の状況を見ながらネタを替えていくのだ。

この話がダメなら、これ、これでダメなら次は……と、今、話していることを考えている脳とは別の脳を働かせている。列車を2本走らせるような脳の働かせ方、脳を複線化することができている。

もちろん、視線を下に向けず会場の隅々(すみずみ)にまで巡(めぐ)らし、張りのある声、話すスピードも緩急をつけてテンポをつくり、人の気持ちを逸(そ)らさせない。こうした**身体的能力も要求される。**

こうした能力を持つことはけっして不可能なことではないのだ。

本書では、第1章で「人をひきつける話す力」とは何かを説明する。第2章では、「頭のいい人の話す力」の要素を3つに分解し、それぞれの力を明らかにする。第3章では、「深い話ができる」ためのトレーニング法を提示している。

この本であなたが、一人でも多くの人をひきつける「話す力」を身につけてくれれば、著者として大きな喜びである。

齋藤 孝

人をひきつける「頭のいい人」の話す力◎目次

2 「この人は頭がいい」と思う話とは

3 頭のよさとは対話力である

話し上手に学ぶ——①永六輔

第2章 頭のいい人の話に変わる〈3つの力〉

1 ネタ力——話す前に考えること

2 テーマ力——何をどう話すか

3 ライブ力——現場で何をやるか

話し上手に学ぶ——②古今亭志ん朝

第3章　深い話ができる人になるトレーニング

1　基本トレーニング――要約力を鍛える

2 応用トレーニング
――コメント力を鍛える

話し上手に学ぶ――④ 小林秀雄

第1章

人をひきつける話す力を鍛える

1「意味の含有率」を意識しよう

◉話し方がうまくなるだけでは意味がない

読者の皆さんは、人の話を聞いていて、つらくなってしまうことがないだろうか？　私にはよくある。それはなぜかと考えると、聞いていた話にあまりにも意味が含まれていないからだ、という結論にいきついた。

そこで、「意味の含有率」という概念をつくってみた。時間ごとに意味がどれくらい含まれているか、ということだ。

意味のあるなしの基準は厳密には難しいが、感覚的には、おおよそわかる。私はこの「意味の含有率」が「話をする」という行為を考えるときにもっとも大切な要素だと考えている。

「いい話だなあ」と思うのは、「意味の含有率」が高い話だ。

じつは、多くの人も話を聞くときには、本能的に「意味の含有率」感覚を使っている。だれでも、結婚式や式典などで「つまらない話だな」と思って、来賓（らいひん）の挨拶（あいさつ）が終わるのをじっと我慢した経験があるだろう。ところが同じような場でも、思わず「ウン、ウン」とうなずいたり、「これはだれかに話してあげたいな」と思うような話に出合うことがある。その違いは、話の「意味の含有率」にあるのだ。

ただ、自分が話すとなると、この「意味の含有率」の意識が働かなくなってしまうことが多い。話すときには、「意味の含有率」に対して意識を持っているかいないかで、大きな違いが出る。**「意味の含有率」という感覚を持たない限り、話はけっして上手にならない。**

人の心をつかみ、納得させる話をするための条件として、相手の目を見るとか、大きな声で話すとか、明瞭（めいりょう）に発音することとか、いろいろな技があるのはたしかだ。しかし、そういった「話し方」のレベル以前に、ま

▶ONE POINT
準備に時間をかけるのは、あらゆる成功の鉄則。何と何を、どんな言葉で表現するかを、事前にどこまで考えられたかが話の価値を決めます。

ず「言っている話にそもそも意味はあるのか」というポイントから考えることが大事だ。

●「話がムダに長い人」になっていないか

「意味の含有率」感覚を高める第一歩は、自己チェック機能を持つことだ。自分の言っていることに、「もしかしたら意味がないんじゃないか」という不安を持つことだ。そうした不安がない人がいちばん怖い。自分は話がうまいと思っている人、「俺、けっこう、しゃべりがいけてるし……」などと思っている人に限って、その話は聞くに堪(た)えない。

仲間内での「おしゃべり」と、パブリックな場で他人にものごとをしっかりと伝える「話す」行為とは、レベルがまったく違う。仲間内ならノリさえつかめば、そこそこいける。しかし、**パブリックな場では、その話にどれだけ意味がこめられているかで、話の評価が決まってくる。**

自己チェック機能がないと、そこを勘違いしてしまう。

私は、よく授業で学生にプレゼンテーションをやってもらう。200人ぐらいの大教室の中で、前に出て3分間くらい話をしてもらうのだ。

なぜ3分か。

一応、まとまった内容を話せる長さであるほかに、もう一つ理由がある。もしプレゼンテーションがヘタでも、聞いている学生がなんとか我慢できるからだ。

プレゼンテーションをする学生は、はじめて前に出て話したときは、あまりうまく話せなかったと反省する。ところが3~4回やると話し慣れてくる。そして「自分は意外にいけている」と思うようになる。

ここが危ない。

そうなると、話が長くなる。それで話がおもしろくなっているかというと、そうではないケースが圧倒的に多い。

「話し慣れ」してくると、話を止められなくなる。何か言い足りない気がする、もっとうまく伝えられそうな気がするなどと思って、言葉を継いで

▶ONE POINT

普通の人がイラつくことなく耳を傾けてくれるのは、だいたい1分間までです。いつ打ち切られてもいい話し方をしましょう。

いく。しかしたいていは、本人が言えば言うほど、聞いているほうは何を言っているのか、何を言いたいのかわからなくなっていく。

つまり「意味の含有率」を下げる話になってしまう。

◉「15秒の話」に意味をこめられるか

「意味の含有率」とは、時間あたりの意味の量をさす。

話に意味を詰めこむトレーニングのために、私は学生に15秒間のプレゼンテーションをしてもらう。15秒の話であれば、話すほうもその短い時間になんとか意味を入れようとする。実際、かなり聞ける話になる。

15秒というと、短すぎて何も言えないと思うかもしれないが、これはちょうどテレビCM1本分と同じ時間だ。15秒のCMにはかなりの情報が入っている。となれば、**15秒の話でもかなりの意味を入れこむことができるはずだ。**

15秒という短い時間で話そうとすると、頭を速く回転させて、大事なポイントを落とさず、きちんと通じる日本語になるように話さなくてはならない。それが話すことのいい基礎訓練になる。

長い時間話すことからはじめて、だんだん時間を短くしていくという練習方法もあるが、大事なことは、「意味の含有率」の感覚を身につけることなので、短い時間から練習をはじめたほうがいい。15秒ぐらいからはじめると、これが**「意味を詰めこむ感覚」**だなと実感としてわかるようになる。

3分間スピーチとよく言われるが、実際にやってみると、3分はなかなか長い時間だ。学生に3分でまとまった話をしてと言うと、意味のある話をすることがどれだけ難しいかわかっている場合は、「3分じゃあ長すぎますから、1分半にしてください」などという答えが返ってくる。

●3分間「もつ」と「ひきつける」では大違い

話すことは、日常的にやっているので、だれにでもある程度はできると思われている。

▶ONE POINT

「その長さなら難しくはない」という程度の難易度で、聞き手が「内容があってわかりやすい」と感じるジャストサイズ。それが15秒なのです。

たしかに、たいていの人が3分間スピーチならもつだろう。しかし、「もつ」というのは、3分間程度ならば、どんなに退屈な内容をだらだら話しても、聞いている人も我慢できる時間だから、ということにすぎない。

いざ、**人をひきつける意味のあることを3分間話す**となると大変だ。5分間となると、これはだれもができる技ではない。

実際に何人かの前で3分間、内容のある話をしようとすると、自分が話せないという現実がよくわかる。話している途中で、言おうと思っていたことを忘れたり、意味が通じない話になってしまったりする。

話すときの語数は、文章量に換算すると**1分間で400字詰め原稿用紙1枚程度**、5分間で5〜6枚程度である。話すスピードにもよるが、人に聞いてもらうために、少しゆっくりと話すときの文字数だ。そのくらいであっても、意味があることを話そうと思うと難しい。

とくに、スピーチやプレゼンテーションとなると、大勢の人の前にさらされる状況なので、普通に話すときとはまったく違う緊張感がある。5分間のスピーチを喜んでやる日本人は少ないのではないか。

結婚式などで指名されてスピーチをやるとなると、それだけで緊張してしまい、何日も前から何を話そうかと考え、なかには前日に家族の前で練習したりする人もいる。

披露宴に出ても、自分のスピーチが終わるまでは緊張してご馳走ものどを通らない、食べても何を食べているのかわからない。そのくらい大勢の前で話すとなると、気持ちの負担が大きくなる。

パブリックな場で話すときは、仲間内のおしゃべりで3～5分間話すのとは格段に違うプレッシャーがかかる。

●評価される人は「話の中身」が明らかに違う

アメリカの大統領演説では、3～5分のスピーチに莫大なエネルギーをかけている。もちろん、スピーチ原稿をつくるスタッフがいて仕上げているのだが、大統領も、きちんと主張すべきところは主張し、キーワードを

▶ONE POINT

制限時間が決まっていると、その時間の密度は格段に濃くなります。自分がいま、もっとも話したいことは何かがクリアになってくるのです。

入れて強調し、さらにジョークを交えておもしろく話す、というレベルまで練習をしている。

国内世論がスピーチをどう評価するか、また、世界各国が、それをどう判断するかで、世界情勢が大きく動くこともある。スピーチはそれほど大きな意味を持つ。

もちろん、結婚式程度のスピーチなら、失敗しても出席者たちから、からかわれるくらいですむ。しかし、仕事の話となるとそうはいかない。**「話す力」によって人間は評価される部分が大きい。**

他の能力が同じような場合は、話す力がある人のほうが評価される。プレゼンテーションはもとより、会議での発言や短いスピーチでも、「あの人はできる、できない」という評価が必ずついてまわる。

人への影響力を持てるかどうかは、「話す力」によるところが大きい。

「話す力のある人」とは、笑いがとれたり、ノリがよかったりする、俗に言う「話し上手」ではなく、「意味の含有率」の高い話ができ、周囲に影響力を持てる人のことを言う。

●校長先生の話が退屈になりがちなのはなぜか

話し慣れていない人は、スピーチとなると「自分は話がヘタだからうまくいくだろうか」と不安を感じ、緊張してしまう。日本人にはそういう人がまだまだたくさんいる。

だが世の中には、自分ではスピーチがうまいと勘違いしている人たちもいる。こうした人たちが、**だらだらと長く話す害は、話がヘタだと思っている人の話より何倍も大きい。**

長い話で、意味のない話は犯罪的行為だ。それは権力を持った人ほどよくやる。式典などでは、自分が害毒に近いものを垂れ流しているという感覚のない、偉いとされる肩書きの人が必ずスピーチをする。その場合、ほとんど型通りで意味のない話が多い。そうした人の話を聞いていると、「頼むから意味のあることを話してくれ！」と叫びたくなってしまう。

▶ONE POINT
しゃべりすぎるクセが抑えられれば、「オレが、オレが」「私が、私が」という自己中心的なものの見方から距離を置けるようになります。

型通りの話がなぜおもしろくないか？　それは、**内容に「今・この場で・なぜこの話をしなくてはならないか」という必然性が欠けているからだ**。そうなると、聞き手に「今・なぜ・この話を聞かなければならないか」という**聞く構え**を取らせることができないのだ。逆に言えば、それさえあれば聞く人に話を聞く構えを取らせることができる。

自分で話が苦手だとか、ヘタだと思っている人は、自覚があるだけになるべく短く話を切り上げようとする。ところが、自分で話がうまいと勘違いしている人は、5分と言われているのに、10分も20分も話してしまう。

公的な団体の役職者や学校の校長先生などに多いのだが、型通りの挨拶や、形式的な話にすぎないケースがよくある。わかりきっている話を続け、聴衆は、仕方なくつきあいで聞いてあげている。

彼らは人前にさらされるという意味では、場慣れはしている。だが、やむを得ずおとなしく聞いていなくてはいけない、生徒や父母などを相手にしていることが多く、厳しい評価にはさらされていない。彼らは、みんなが自分の話に仕方なくおつきあいで聞いてくれていることに気がついていない。

校長先生向けに「校長講話」といったマニュアル本があるようだ。それをただ読んでいるのではないかと思えるような先生もいる。

秋が来たら、「食欲の秋です。皆さん、どんな物を食べていますか」といった定型の話をする。それは、今この場で話さなければならない内容ではなくて、50年前の小学校でも話されていたことだ。そんな話では、小学1年生だって、「あの先生の話はつまらない」と思うだろう。

職業上、役職上、社会的立場上、話し慣れているからといって、「自分は話がうまい」などと思わないことである。

●「他人と違うことを話そう」と思っているか

会社でも、平凡な話、わかりきった話、意味の少ない話を延々とする上司がいる。部下だからおとなしく聞いているが、上司でなかったら、だれもその人の話など聞かないだろう。

▶ ONE POINT
形式的な挨拶では、長く話せば話すほど嫌われます。手短に終わらせた挨拶に対して「短すぎる！」と文句を言う人を見たことがありません。

平凡な話しかできないのは、その人自身が平凡だから、というだけではない。その人が、「おもしろいことを言おう」という強い意志をそもそも持とうとしていないからだ。その強い意志がないから平凡な話になるのだ。

他人と違うことを話そうと思っている人か、そうでない人かで、人は大きく2つに分けられる。**他人と違うことを話そうと思わない人には永遠に進歩がない。**その挑戦する気持ちのなさが相手にも伝わってしまうから怖い。

それなのに、「平凡で何が悪い」という開き直った態度が日本の社会には蔓延している。リスクを負わないのだ。

しかし、それでは聞いている人の時間を奪っていることになる。たとえ3分でも、１００人を相手にしていれば、トータルにして3分×１００人で３００分（5時間）の他人の時間を奪っていると思うべきだ。

話を聞いてもらうことは、聞いている人たちの貴重な時間を預かっているということだ。お金を預けられているのと同じで、利子をつけて返さなければならない。他人の時間を3分もらったら、終わった後に、３分預けてよかったと聞き手に思われるような利子が必要だ。

授業なら、聞いている学生が45分～1時間半の時間を預けて、利子がたっぷりついて返ってきた、高利回りであったと思えるのがいい授業といえる。

退屈でほとんど寝ていたという授業だったら、休息時間にはなるかもしれないが、それ以上の意味はない。無駄な時間である。

話す側は、自分が聞いている人の時間を預けられているという意識を持たなくてはいけない。人に話をするという行為は、授業と同じで、意味のあることをきちんと相手に伝えて納得させられたかどうかがポイントになる。

●「中心メッセージ」を最初に話す

話し言葉で、使ってはいけない言葉がある。典型的なのは「あと」という言葉だ。小学生がよく使うが、何か話すと「あと……、あと……」と、

▶ ONE POINT
理解しやすいところから説明していき、「わかる、わかる」「なるほど！」といった感覚を与え、テンポよく展開していくのが上手な説明です。

つけ加えていく。そこには話の文脈がない。

「あと……」という言葉には、どこに着地したいのかがない。聞いている側にとっては、行く先のわかっていない引率者に連れられて歩いているようなものだ。

小学生だけでなく、大学生でも使う人がいる。「それと、それと……」も同じだ。**「全然、話が変わるんですけれども」**というのも、文脈のなさを露呈（ろてい）している。

話のテーマから遠いエピソードを積み上げ、そこから論理をつくって結論に持っていくような持って回ったやり方では、聞き手の中で話がつながらなくなる危険性がある。話の途中で、自分が本当に言いたかったことを忘れてしまうおそれもある。

まず、「これを言いたい」という中心のメッセージを言い、落ち着いて話したほうがいい。

日本人は、遠慮がちに話の外堀から埋めていくという傾向があり、持って回った言い方になりやすい。あるいは、頭をよく見せたくて、論理を一つずつ積み上げていこうとして、かえって話がわかりにくくなる。

しかし、いちばん言いたいことを伝えきれないと、逆に頭の悪さを露呈してしまうことになる。長々と話して、「……で、何でしたっけ」というのがいちばん怖い。

まず、とりあえずこれが言いたいと、はっきり言っておく。また、**話している最中に思いついたことでも、重要だと思ったことはとりあえずその場で言っていく。**

話がつながらなさそうになったら、「以上で終了いたします」と言って、早くやめればいい。短い話ならば、聞いている側はたいていは許すものだ。

話すときの言葉は文章とは違って、すぐに消える。論理を言うより、中心メッセージを最初に必ず言っておく。さらに、話の中でも繰り返し、最後にもう一度言うことで、確実に相手に伝わる。

▶ ONE POINT

だんだん重要な問題に移っていくのではなく、最も重要な問題から話を始める。事柄の重要度・優先順位にしたがって話の順序を決めましょう。

2「この人は頭がいい」と思う話とは

●「意味がある話」と「笑える話」

人をひきつけ、納得させる話の条件とは何か。

「ある、ある」

「うんうん、そうだよなー」

「あぁ、あれってこういうことだったのか！」

「なるほど！　そういう考え方があるのか」

「聞いたことがない、知らない、おもしろい。この話、人に話したい！」と思う話、つまり**共感と発見がある話**だ。また、ジョークを入れ、笑いをとることもある程度は必要だ。聞く人を楽しませることができる。

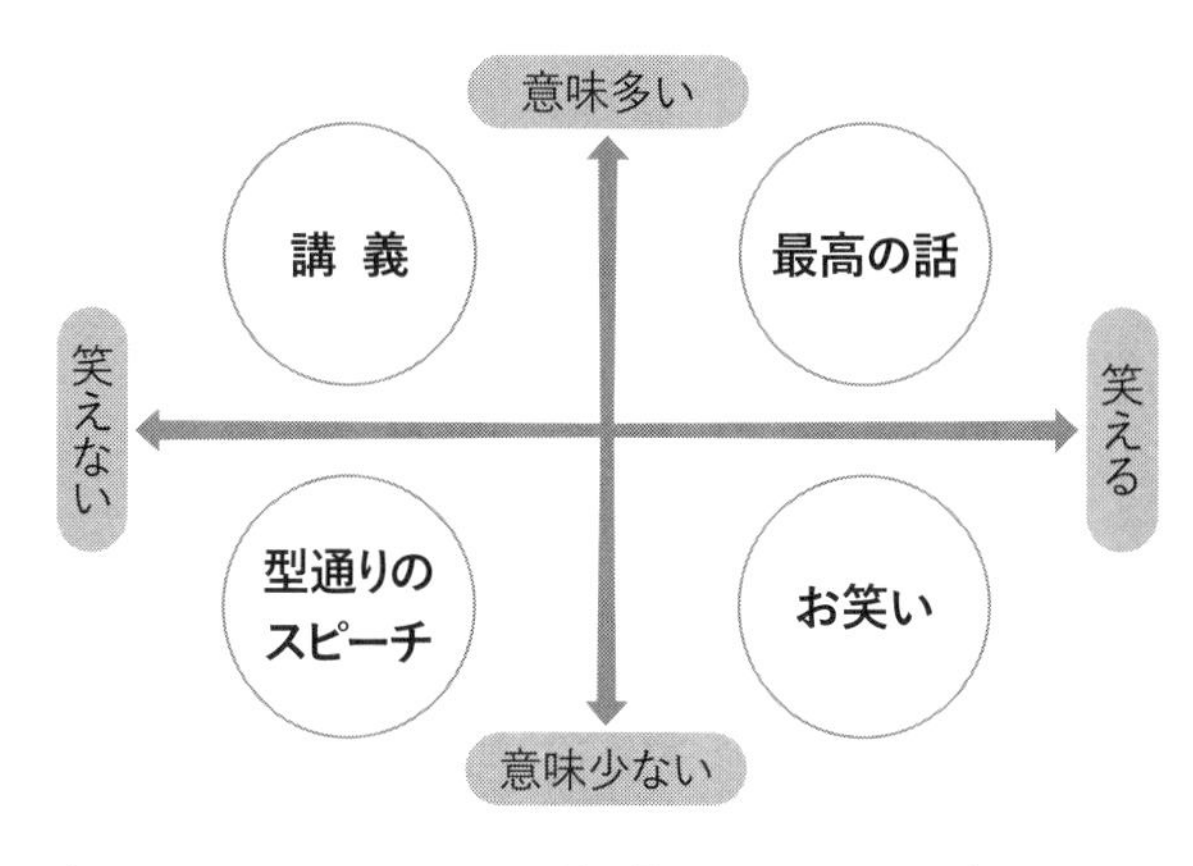

座標軸で言うと、「意味がある」という軸と「笑える」という軸がある。意味がなくて笑える話もあるし、意味があっても笑えない話がある。

いわゆる学校の授業や講義は後者のイメージだろう。テレビなどのお笑い芸人の話は、意味はないが、笑える典型だろう。

最低なのは、意味もなければ、ジョークもなく笑えない話ということになる。式辞などでの型通りの話が典型だ。

人をひきつける話とは、当然、意味があって、なおかつおもしろい話ということになる。だが、この2つの条件

▶ ONE POINT

スベることを恐れずに「人が笑ってくれそうな話」に果敢にチャレンジする。会話の中に笑いを持ちこもうとする人は「勇者」です。

を共に満たすには、かなり高度な「話す力」が必要となる。

まず、めざすべきなのは、笑える話ではなく、話の内容に中身（意味）をこめることだ。私たちがその話をおもしろいと思うのは、単に笑えるからではなく、基本的に**聞いてためになったと思うから**なのだ。

●「ある、ある」感覚を呼び起こす

人がひきつけられ、納得する話の第1の条件は、**共感できる話である**ということだ。

それまで漠然と考えていたことが、他人から、はっきりと口に出してもらうことによって、「あぁ、そういうことって、ある、ある」などと共感して、すっきりする。この共感の喜びがあると、「この人の話はおもしろい」ということになる。

聞き手にとってまったく共感できない話だと、どんなに質が高い話でも、おもしろいとは感じない。聞き手に思い当たる節（ふし）がないと、まったく話に乗ってこない。逆に、**聞き手の背景をつかみ、共感の土壌をつくることができれば、人は話**

にひきこまれやすい。

また、話に共感してもらうためには、聞き手に人生経験が必要になる。たとえば、中学生、高校生ばかり１０００人の前で講演するのはかなり難しい。彼らには人生経験も少なければ、積極的に話を聞こうという構えもない場合が多い。話を自分の経験や感情にひきつけて聞く習慣も不足している。

私は、こういう若い人たちを相手にしたときには、まず彼らの感覚に寄り添うような話で、「ひき」をつくる。テレビネタ、音楽ネタ、お笑いネタ、漫画ネタなど、彼らが日頃（ひごろ）よく知っている世界のネタを使う。そこから入ると、彼らの意識を話にひきこむことができる。

基本的に、**人が本気で話を聞くのは、自分の経験に関係があって共感作用が起こったときだけだ。**共感を呼ばない話、つまり独（ひと）りよがりな話は、他人にとってはまったくおもしろくない。

独りよがりな話とは、たとえばホームビデオのようなものだ。他人の結

▶ ONE POINT

大ネタは「広く深く」、小ネタは「広く浅く」を心がけて、手広く集めておくことです。できるだけ引き出しの数を多くするのが大切です。

婚式や子どもが映ったビデオは、よほどのオモシロ映像が映っていない限り、退屈で5分も見ていることができない。見せるほうはどっぷりとその世界に浸(ひた)っているので、おもしろいと感じられるが、関係ない人間にとっては共感のしようがない。

共感の土壌づくりのためのネタは、**内容が凡庸(ぼんよう)であってもいい。**「こんな当たり前なものを、なぜ、みんなが共感しているのか、おもしろがっているのか」というものも、世の中には数多くある。それを使ってかまわない。

共感できる話が、おもしろいかどうかは別問題である。

相手に聞く構えを取らせるには、「あぁ、ある、ある」という感覚が必要なのだ。年代、性別によって、経験世界が違うので、それぞれに共感作用を呼ぶようなネタを選べばいい。

聞き手に、「ある、ある」感覚を呼び起こせば、話し手と聞き手の心理的距離がぐっと近づく。その後の話に対する納得度が飛躍的に高まる。

同じ内容を言っていても、「この人の話なら納得するけど、あの人が言うことは信じられない」ということはよくあるだろう。それはおもに聞き手と話し手の心理的距離によるものだ。心理的距離が近ければ、聞き手に、「続きの話を聞こう」という構えができてくる。

●聞き手に「発見の喜び」を与える

人をひきつけ、納得させる話の条件の2番目は、聞き手に新しい発見や気づきがあることだ。そして、**聞いている人の脳の中に何かを巻き起こす、インスピレーションを湧かせる話が、最高級の話だといえる。**

ある言葉が相手の脳に入り、それがきっかけになって脳の中で、彼の経験から釣り上げられてくるものがある。

そこで「あぁ、そういうことがあったな」、あるいは、「あれってこういうことだったのか」「こうすればよかったんだ」というようなことを思いつく。

話し手はそのことを直接的に言っているわけでも、聞いている側の経験

▶ONE POINT
小ネタの長期ストックはダメです。手にした翌日には手放す。ひたすらアウトプットすることで、自分の持ちネタが洗い出されてきます。

を知っているわけでもない。それでも、あるフック（ひっかける鉤）を話の中で繰り出すと、そこに相手の経験がひっかかってきて、何かが釣り上げられる。そういう話は、かなり「意味の含有率」が高い話だ。

相手に自分自身の経験をうまくひっぱり出させるようなフックを、話の中のどこかに入れておく。そこから、「あれはああいうことだったのか」「そういうことなら、あれだ」と、**聞いている側に発見の喜びがある話がベストである。**

結局、聞き手は、自分の中の経験にからんだところでしか本当には理解できない。だから、発見があったとしたら、自分の経験に関連した発見だと思う。

話を聞いているうちに、聞き手の脳が活性化する、あるいはインスパイアされて、インスピレーションが湧き上がるような話であれば、それはいい話ということになる。

人をひきつけ、納得させる話の第1条件「共感できる・できない」を縦軸にすると、第2の条件「新たな気づき、発見性があるかどうか」は横軸になる。つまり、共感の上に、「へぇ」とか「ほぉ」という発見の感覚を呼び起こせるのが、

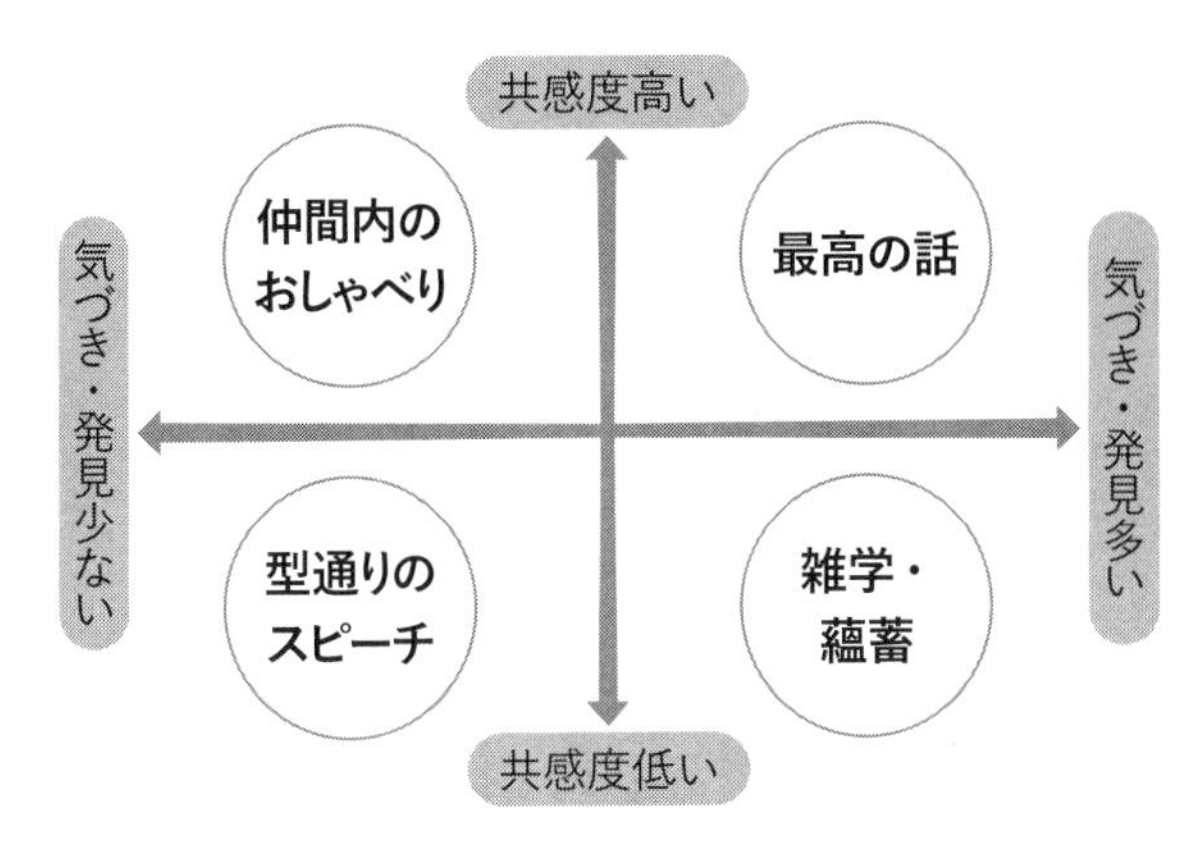

「意味の含有率」が高い、いい話なのだ。

世の中で、雑学、蘊蓄（うんちく）などが受けるのは、比較的簡単に気づきや発見のおもしろさが得られ、人に「へぇ」「ほぉ」などと簡単に言わせやすいからだ。たしかに、自分が知らなかった話なら、そこに学びがある。偉大な発見というわけではなくても、聞く人がはじめて知ったのであれば、話を聞いた意味はあり、「今日の話はおもしろかった」となる。

ただし、**雑学や蘊蓄は、それ自体では「意味の含有率」は少ない。**なぜな

▶ ONE POINT

雑学の特徴は、知識と知識の間に脈絡がないことです。出し方によっては、知識をひけらかすだけの嫌味に取られてしまいます。

ら、聞く相手の共感を呼び起こさなければ、相手の中に定着しにくく、本当の知識・知恵になりにくいからだ。

そして、共感の上にさらに発見性もある話が、もっとも高度で、聞く人をひきつけるものになる。

●中心メッセージは「何回も繰り返す」

話の内容も文章と同様、「3色のボールペン」で色分けできる。青が「まあ大事」、赤が「とても大事」、緑が「おもしろい」とする。

実際に話すときに大事なのは、伝えるべきキーワード、**「これだけは伝えたいこと」＝赤の部分をはっきりさせておく**ことだ。

普通は、たくさんの話を聞くほど、おもしろかったような気がする。しかし、最後に「結局、あの人の言いたいことは何だったんだろう」となっては、いい話とはいえない。

話の枕（まくら）に、まったく違う話をする人もいるが、私の場合は、書くときと同様、最初にいちばん大事なことから言っていく。優先順位の高い順に話をすることにしている。

「赤」に当たる最重要事項は、何回繰り返してもいい。**書くことと違い、言葉はその場で消えてしまうので、いちばん言いたいことは繰り返したほうがいい。**最初に言って、最後でもしっかり言っておく。

「今日はこれを伝えたかったんです」と話せば、話がうまく流れなかったとしても、言いたいことだけは伝えられる。

経営者の中には、社員に向かって同じ話を繰り返す人がいるが、必ずしもいけないことではない。しっかりと伝えるためには、何度でも言う必要がある。おもしろいかどうかではなく、薬の役目を果たす話というものもある。

「コンビニの父」と称されるセブン&アイ・ホールディングス名誉顧問の鈴木敏文（すずきとしふみ）さんも徹底することがいちばん難しいと私との対談で話されていた。全国のセブン－イレブン店長を集めて話をしていたのは、徹底するた

▶ONE POINT
「強調したい点を話すときは、スピードを落とす」のが、いい話し方のコツです。言葉の緩急は、話に説得力や深みを与えます。

めだ。

「赤」や「青」が本筋部分だとしたら、話には、本筋から外れた展開も当然ある。そこにネタとしておもしろいものを入れる。**落語で言う「くすぐり」のようなもので、緑色の話題を入れていく。**

緑色の話題は、できるだけ自分の経験を入れるといい。赤の主張と緑の自分の経験をうまくからませることができれば、「赤」の主張部分が、単なる形式的なお題目ではなく、話し手自身の言葉なんだと思われ、説得力が増す。

赤・青・緑という形で、話す前に頭の中で整理しておくと、実際に話すときに優先順位がはっきりして、脱線した話を入れても軌道修正がしやすくなる。

●「言い換え力」があれば聴衆を選ばない

私の場合、講演の聴衆はいろいろだ。小学生ばかりのときもあれば、高齢の方ばかりのときもある。小学生の母親だけ、中年男性だけ、といったケースもある。

講演の場合、聞く人のゾーンに合う話題を選び、共感をひき出さねばならないということはすでに書いた。ところが、一つの会場で小学生から80代の人までが一緒というケースもある。

そうなると、小学生にも理解でき、お年寄りも満足させる内容でなければならない。これは話す技術の中でも非常に高度なものが必要になる。

意味のある話をしつつも、語り口調はやさしくということになる。漢語調の熟語を多く使ったりすると、小学生はついてこれない。だから、かみくだいて言わなくてはならない。かといって、内容が薄くなると、大人は満足しない。

そこで必要になるのが、「言い換え力」だ。**同じ内容をいろいろな言葉で言い換える。**同じ意味内容でも、やさしくも言えるし、逆に理詰めにも言える。厳密な言葉を使って表現することもできる。

相手によって、文脈によって、言い換えることができなければ、話はうまく伝わらない。適切に言い換えることで、伝える力は飛躍的に上がる。

具体的な表現もあれば抽象的な表現もある。どの程度の抽象度で話すか

▶ONE POINT
話にはできるだけ自分の経験の中から出てきた具体的な実感のある言葉を使うべきです。具体的な言葉こそがコミュニケーション力を高めます。

は、相手の理解度を基準にして判断する。話の抽象度を高めたり、低めたりするギアチェンジをスムーズにできるようになるには、言い換え力がないと難しい。

トレーニング方法としては、**抽象度の高い言葉を具体的にわかりやすく、かみくだいて言い換えてみる。**

あることを聞いて、その内容を同じ言葉を使って再生するのが基礎だとしたら、もう一段階レベルアップした方法が「言い換え力」だ。つまり、聞いた言葉とは違う言葉を使って、同じ内容を表現してみる。

ある程度知識量のある人でも、あまり講演を経験していないと聴衆に受けないというのは、この言い換え力が足りないというケースが多い。言おうとすることは同じでも、相手のレベルや状況に合わせて言い換えなければ、けっして言葉は相手に届かない。

●たとえ話で「イメージを喚起する」

たとえ話を用いて、聞き手にイメージをしっかり湧かせることも、聞き手をひきつけるコツだ。

一例を挙げよう。「話す」ことを、橋のない川を渡るイメージで捉えてみる。濡れないで川を渡る（うまく話を終える）ためにはどうするか。川の中に適当な間隔で石を置いて、その上をピョンピョン跳んでいけば川は渡れる。

適当な間隔で置いていく石が、話のネタだ。

ある程度の時間、話をするためには、ネタがいくつか必要だ。そのネタは置き石にたとえられる。このネタという置き石をピョンピョンと跳びながら、向こう岸にたどり着くことができれば、うまく話ができたということになる。子どものときに、置き石から置き石へとピョンピョンと跳んで川を渡った体験があれば、イメージできるだろう。

話をすることと川を渡ることは完全にイコールではない。それでも、**「そういうこと、ある、ある」と、聞き手が映像化して捉えることができれば、話に対する理解が進む。**

▶ ONE POINT

聞き手に川を渡ったような充実感を与えることが大事です。聞き手はその感覚を得られたとき、「いい話を聞いた」と思うようになります。

川の流れが激しくて危険だというのは、相手に飽きられたら危険だという恐怖感としてイメージできる。

距離の長いところを濡れないで渡るのは大変なことだから、間に石を置かなければならない。それが、ある程度の長さの話ではネタをいくつか用意しなければいけないという「言いたいこと」とリンクする。

このように、聞き手が映像化して理解できると、話の定着度は相当に高いものになる。たとえ話でなくても、**具体例を1つ、2つ挙げることができれば、聞く人に具体的なイメージを湧かせることができる。**

ある程度まともな話でも、具体例が陳腐だったり、あるいは全然入っていないと、聞き手は退屈してしまう。まだ具体例ばかりの話のほうが、退屈しないで聞いていられる。

●聞き手との関係性をつくる

話すときには、最初に自分が何者で、なぜ自分がここに立って話をしようとしているのかを、聞き手にわかってもらわなくてはいけない。つまり、相手との関係性をつくることが重要だ。

そのためには自分の経験からくるエピソードを交えながら、自分固有の言葉で語っていく。**その人だから話せることを話すと、聞き手は急に寄り添ってくる。**

短い時間の場合には、これだけは伝えたいと思っていることを、自分の経験から掘り起こし、3色ボールペンで言うと緑（おもしろい）の部分で話していく。青の「まあ大事」を思い切って落とし、**緑・緑で押して、その中に赤（とても大事）を1つ入れる**やり方である。

あまり長い時間はもたないが、3分程度のスピーチであれば、そのほうが聞き手の発想を促（うなが）すような角度のついた話になる。

●ライブ感には身体力がものをいう

人前で話をするときは、ある程度メモをつくっておくことも必要だろう。

▶ ONE POINT

単純に情報を伝えればいいというものではない。自分なりのものの見方を発揮することが相手の興味を喚起します。そのために緑が必要です。

ただし、メモに頼りすぎると、話がつまらなくなる傾向がある。

結婚式の披露宴でスピーチを頼まれた人は、たいていはメモをつくるし、自信のない人、几帳面な人は原稿までつくってくる。

ここまではいい。しかし、メモや原稿を読み上げてはいけない。まず、**読み上げるというだけで、会場の人は聞く気をなくす。**

大学で教える場合でも、ノートを読み上げるような感じだと、聞く側が察知してしまい、もう聞く構え自体をなくしてしまうということがある。

本の内容をノートにまとめても、そのノートを見ながら話をするのでは、単なる本の再生、情報の再生にすぎない。ならば本を読めばいい。

この人の言葉は、今生まれるものではなくて、かつて生まれたもの、あるいはかつて人から聞いたことを焼き直して言っているだけだと、聞き手は思う。そのライブ感のなさが、聞き手の聞く気を奪ってしまう。

逆に、**今ここで、自分たちを目の前にしているからこそ湧き出ている言葉だと思ったときには、聞き手は積極的に受け取る姿勢を持つ。**

ただし、ライブ感を出そうとして、ぶっつけ本番で話をすると、準備不足から内容に意味が少なくなってしまう。また、話の流れがめちゃくちゃになり、着地点が見えなくなることもある。

あらかじめ準備しすぎるとライブ感がなくなり、ライブ感を優先させると意味が少ないという、このジレンマをうまく乗り越えなければ、人をひきつけるような話はできない。

人前で1時間半話すとなると、ある程度はノートやレジュメが必要だが、3～5分であれば、1枚のメモで充分だ。メモは文章にするのではなく、キーワードだけ書いておく。メモづくりについては第2章で詳しく説明する。

まずは、短い話の「意味の含有率」を上げ、だんだん時間を延ばしていく。そういうトレーニングをしていけば、ライブ感のあるおもしろい話ができるようになる。

さらに、話すという行為は書くことと違い、身体が占める役割が非常に

▶ONE POINT

大切にしてほしいのは「情熱」。素晴らしいモノ・コトを誰かと共有したい、という熱い想いが、アウトプットの大きな原動力となります。

大きい。ライブ感を高めるには身体性も重要だ。話し手の身体が聞き手のほうに向かって働きかけていないと感じられると、聞き手の聞く構えが解けてしまう。重要なポイントは声の張りだ。

聞き手は、声に張りがあるかないかで、その話し手が自分たちに向かってくる姿勢があるかどうか、あるいは伝えたいことそれ自体があるかどうかを感じ取る。

話し手のパワーは、声にはっきり表れる。聞き手にしても、パワーのない人の言うことは聞きたくないだろう。

身振り手振りをうまくやっても、あまり意味はない。声の張りを出すには、「今日はこのことを伝えたい、絶対に伝えるんだ」という信念を持つことがその第一歩になる。

●「つかみ」で注意をひきつける

武道館で行われた大学の入学式で話したことがある。親も含めると、2万人前後という大人数だ。

このような大人数の場合、まず聴衆をひきつけないと話にならない。そこで私は、**「はい、問題です」**と、いきなり問題形式で話をはじめた。聞いているほうは、「大学の入学式なのに問題を出すのか……」という反応だ。

学生たちの年代が読んでいる比率が非常に高いと思われる漫画にちなんだ問題を出した。そして、「じゃあ、答えがわかった人はせーので言ってみましょう。せーの」と言うと、中に大声で答える学生がいる。

そんな学生に対して「2万人の前でよく言えますね」などと、ちょっとからかってから話をはじめた。

このようなことが「つかみ」だ。「問題です」といきなりやると、相手が意表を突かれて、「なんだろう」と一瞬考える。そこで聞き手の注意をひきつけるのだ。

このように、実際にしゃべってもらうかどうかは別にして、**参加型にすると人が耳を傾けやすい。**「立って深呼吸してください」といったように、身体を動かしてもらうことによって、聞き手に参加してもらうのもいい。

▶ONE POINT
冒頭で「なぜ、〇〇は△△なのでしょうか？」と聞き手が興味を持つような問いを提起できれば、自然と説明に引き込まれていきます。

◉テキストを共有して「具体的な例から入る」

入学式で漫画を問題として出したのは、聞き手の大多数が学生だったからだ。それを60～70代の男性相手にやったら、みんなひいてしまう。

その年代であれば、たとえば司馬遼太郎（しばりょうたろう）の本について、「はい、問題です」と振る。とにかく、相手とテキストを共有することが重要だ。

自分自身の経験世界で勝手に話のネタづくりをするのではなく、**相手の背景と自分のストックを照らし合わせて、相手が知っている世界にまず訴える。**そのことを知っているとわかるだけでも、聞き手は話し手に対して好感を持つ。

そうやって最初に共通の基盤をつくった上で、聞き手が知らなかった未知の部分に、話題をずらしていく。**「既知から未知へ」が、聞き手の理解を促すための原則だ。**

言いたいことがたとえ普遍的なテーマであっても、最初から抽象的に語ろうとすると、話にリアリティがなくなる。たとえば「『善』というものはどういうものでしょうか」と語ると、どうしても教会やお寺のお説教のようになってしまうだろう。**たとえ普遍的なテーマであっても、具体的なことに沿って語ることが大切だ。**テキストを共有すれば、それが簡単にできる。

●クイズ形式で「テンポ」をつくる

私の場合は、どんなテーマの話でも、授業をする感覚で話すとうまく話せる。

私の授業のイメージは、長々と説明するのではなく、バンバン問題を出していくというものだ。問題を出すといっても、実際に相手に解答してもらって正解がどうこうということはしない。1問について3秒ぐらい間(ま)をとって考えてもらって、「はい、これは○○でしたね〜、では」と次の話にいく。**ネタをどんどん繰り出すために、問題形式にしてテンポをつくっているのだ。**

話のテンポを速くすることは非常に重要だ。話がうまくない人は、テン

▶ONE POINT
「聞き手がどのような経験を持っているか」を推測し、それを思い起こさせるような話し方をすると、その話の定着率が俄然高くなります。

ポをある程度速めればうまくいく。**話を外したときも取り返しやすい。**ゆっくりと話して、たいしてネタがないままだと、聞き手が「結局、なんだよ」とイライラしてしまう。

問題を次から次へと出すと、聞き手の注意をひき続けられる。これはテレビを考えればわかりやすい。かなりの部分がクイズ形式によって構成されているテレビ番組は多い。テレビは、飽きられてチャンネルを替えられたらおしまいだから、クイズ形式の問題で視聴者をひっぱっていくわけだ。

問題が出されたら、当然答えを聞きたくなる。問題ＶＴＲやＣＭなどの間に自分も考えるので、その労力を取り返したい。答えを知らないままだと落ち着かない。**人間には、問題を出されると、つい答えてしまうという習性がある。**それを利用するのだ。

そして答えがある程度納得いくものか、意表を突くものであれば、「この話はよかった」となる。

●コツやネタを入れて、おトク感を持たせる

私は「引用力」を重視する。知性や教養のある情報がうまく引用されていると、読んでも聞いても、おトク感があるからだ。また、何か具体的なコツについて話されると、おトク感があって耳を傾けたくなる。さらに「今日帰ったら（それを）やってみよう」となる。**話を聞いて終わりではなく、聞くことによって行動が変わるような話が、聞き手にとっていい話だ。**

テリー伊藤さんと対談したときに、「1日に1回必ず齋藤先生のことを思い出すんですよ」と言われた。しかも、交差点や待ち時間になると思い出すんだそうだ。なぜかというと、信号待ちをしているときなどの空いた時間に、必ず四股（しこ）を踏んで肩入れをするからだという。

あるテレビ番組で、私が「四股踏みと肩入れをやると、元気が長持ちする感じがして、身体にいい」という話をした。テリー氏はその放送を見て、実際にやってみたら具合がいいので、ずっとやっているというのだ。聞い

▶ONE POINT
情報を引用する際のポイントは、「自分がその情報に対して、どんな関心を持っているか、情報に自分がどう絡んでいるか」を示すことです。

たことが後に残るおトク感の一例だ。

話の性質として、「おもしろかった、でも、全部忘れてしまった」という話もある。それはそれで悪くはない。だが、話の中の何かが残って、その後、聞いた人の何かが変わっていくとなると、話の効果は非常に大きい。

あのとき、あの話を聞いたから、今はこれが好きになった、こう考えるようになった、ということはないだろうか。そういう**何かのきっかけになるような話は、それだけで、意味のある話、効果のある話**だといえる。

話がおもしろい、おもしろくないというだけでなく、聞く人のその後の行動や考えを変える効果があるかどうかも大切なポイントだ。

私は、話の基盤には、つねに身体性を置いている。あるいは、技、コツなどから絶対に離れない工夫をしている。すると、その場が盛り上がったか、盛り上がらなかったかとはまた別に、聞いた人に影響を与える可能性が高い。

私が話した内容はすっかり忘れても、聞いた後で肩胛骨(けんこうこつ)を回す運動だけはしているということはよくある。いろいろと話があって、内容はなんだかよくわからなかったが、それだけはやっているというわけだ。

技やコツなどについての話に触れたときには、その場で実際にデモンストレーションをしておくと、聞いた人が後で真似(まね)してやってくれていることがある。

私が子どものころに読んだ漫画に、冬場は風呂(ふろ)から出たときに水を1回かぶると、その後も温かいという情報があった。兄も私もそれをいつのまにかやるようになっていた。その漫画では、他に何も残らなかったのに、その習慣だけは残った。そこには行動や習慣を変えていく、一つのアドバイスがあった。

アドバイスがある話の意味は大きい。人の心に種子を蒔(ま)くことになる。

ゼミナールの「ゼミ」は、種子という意味だ。本来ならばゼミナールとは、それぞれの種子が根付いて、花を咲かせるようなものがいいわけだ。

その話がきっかけで他の人の見方が変わる、あるいは行動が変わるというような話だと意味がある。

▶ONE POINT
会話をした後に具体的に何かが変わる、身体が動く、行動を起こさせるのは、有益なコミュニケーションをしたという証でもあります。

3 頭のよさとは対話力である

◉「話す力」教育が不足している

これまで日本の学校教育では、「話す力」はまったくといっていいほど育ててこなかった。国語力といっても、読むための教育が中心で、書くための教育も不足している。さらに話すための教育となるとほとんどなされていない。だから、話す力の実力もチェックされてきていないのが実情だ。

実際、自分が話すことがうまいかヘタか、学生時代はほとんどわからないだろう。小学校から大学まで、16年間も学校教育を受けても、**人間にとってもっとも基本的な「話す」という行為について、教育もされていないし、評価もされていないのだ。**

「読み・書き・そろばん（計算）」とよく言われる。現在、これらの基礎教育についても不足が指摘されているが、教育はされてきた。

しかし、「話す・聞く」については、だれでも当たり前にできると思われていて、学校では教えてこなかった。学級会や授業での発表がきちんとできることは、教育テーマにされていた。だが、「話す」こと自体は、明確に教育テーマとされてこなかった。

文部科学省もようやく、それではマズイと気がついて、「話す・聞く」ことを小学校の授業で重要なテーマに据えるようになってきた。

◉「一対一の対話」が欠かせない

「話す力」の基礎は一対一の対話力からはじまる。対話でトレーニングすることで、スピーチ、講演、授業など大勢の前で「話す力」をつける。

私の場合は、「話す力」をつける上で、**友人との対話の積み重ね**が大きな効果があった。ある友人と、20年間も毎日のように対話したのだ。彼は

▶ ONE POINT
コミュニケーションとは、お互いの考えや感情を相互に伝達し合うことで「社会化する」ことを意味しています。

中学、高校、大学と一緒で、力も同じレベルで、毎日5〜6時間話しても話題が尽きることがなかった。

互いにさまざまな話を持ち寄り、日々話題を変え、難しい内容を教え合い、議論し合ったりした。

初対面の人やあまり知らない相手だと、互いに知性や教養を持っていて、コミュニケーションする技術が優れていても、はじめは、互いの背景などを知るための会話で終わってしまう。

その点、彼とはずっと同級生だっただけに、互いにわかっている了解事項が多いので、話題はつねに新しいものだけに集中できた。世間話や共通の話題を探る必要がなく、はじめから核心の話ができる。ボクシングでいえば、ロードワークや筋力トレーニングなど前段階の練習をしないで、**いきなり実戦形式に近い対人練習であるスパーリングに入るようなものだ。**

よく知っている友人との対話で大事なことは、単なるおしゃべりというレベルに落ちないことだ。同じような話をだらだらするのではなく、その日勉強したことや新しく出合った事柄をネタとして、話すことだ。

こうすると、**新たに仕入れたことを他人に話すことで記憶に定着させることができる。**

私は、この対話のためにネタのノートをつくっていた。そして、そのノートを見ながら友人に話す。友人も新たなネタを話してくれる。そうやって、お互いに自分の持ち寄ったネタを記憶に定着させ、また同時に相手のネタを新たな自分のネタとして仕入れることもできる。

こうして小さいネタが蓄積されていくと、知り合いではない、共通理解もない人に向かって話すときにも、相手の空気を察知してネタを次々に繰り出して話すことができるようになる。つまり、実際の試合でも充分通用するようになる。

私と対話のスパーリングを繰り返した友人も大学の先生をしているが、彼も授業はうまく、学生たちも盛り上がるという。私と同じように話が止まらないタイプになっているようだ。

ONE POINT
自分の経験してきた個人的な世界と、相手の経験世界をどう上手に交流させるかが、対話力のカギです。

◉ネタを活かす「文脈力」を養う

つねに新しいネタを用意して、しかも考えが会話の中で深まるよう話の流れの中にうまく取り入れる。そこでは、ネタだけでなく、文脈力も必要だ。

ネタを繰り出すだけでは、単なる雑学の披露でしかない。大事なのは、**そのネタがその人とどう結びついているかだ。**

結びついていないと、「こういう話があったんだ」「あ、そう」、あるいは「へーぇ」で終わってしまう。

話し手である自分との関係がはっきりするネタにするためには、「そのネタと自分がどう出合って、どういうかかわりがあるのか、どんな意味があるのか」というポイントから、話をつくっていく。

そして他人との対話の中で、さまざまな文脈の中にそのネタを乗せる練習をすることで、文脈力が鍛えられる。そのためにも、**レベルの合っている対話相手と対話**の絶対的な練習量が必要だ。

かつては、本を読んだり、芝居を見たりした後に、友人とそれについて語り合うのが学生の常だった。だれにも、そういうことを語り合える友人が、1人か2人はいた。友人と毎日のように語り合っていた時代、私は、「友達とは、語り合う相手のことをいうんだ」と考えていたくらいだ。

何かをするというよりは、とにかく語る。語る年頃（としごろ）というのがある。**10代半ばから20代半ばの時期、レベルが合っている相手と堂々巡り（どうどうめぐり）にならずに話を徹底的に語る。**それが、本当の話す力の基礎になる。そういう経験があるとないとでは、パブリックな場での話す力が違ってくる。

対話で鍛えられた力が、第2章で詳しく話していく、ネタを仕込む、ネタを話の文脈の中で活かす、場の空気を読むといった、「話す力」の大事な基礎になる。

●「単なるおしゃべり」な人は、話す力がない

いくら2人で話をしても、単なるおしゃべりでは「話す力」はつかない。

▶ONE POINT
知っている情報を教え合うだけの情報交換を対話とは呼べません。それを通じて知的な発見や気づきがあるもの、それこそが対話です。

人前に出ても人をひきつけたり、納得させることはできない。

単なるおしゃべりは、その人たちのプライベートな空間なので、ネタがゆるくても許される。さらに、おしゃべりは話に文脈がなくても、「ノリ」さえあれば成立してしまう。それではネタをつくる力も、文脈力も鍛えられない。

ネタと文脈をつねにチェックし合う。それが茶飲み友達ではない、対話のスパーリングパートナーだ。ボクシングでは試合形式の練習相手のことをスパーリングパートナーという。

対話のスパーリングパートナーに、あるテーマについて5〜10分くらい自説を披露するのもいい。相手は1人だから、話がつまらなくても、それほど迷惑はかけない。あまりひどかったら、友人なのだからストップをかけるだろう。

そうしたスパーリングパートナーは、一緒にいられる時間が長く、利害関係が少ない学生時代のほうができやすい。だが、経験という素地が学生より豊富な社会人は、自分とレベルの合った相手を見つけることさえできれば、「話す力」をつけるトレーニングはやりやすい。その場合、年齢は関係ない。

スパーリングパートナーができたら、映画を見たときは、その映画の話をする。読んだばかりの本の話をする。あるいは政治や経済、芸能でもいいが、今が旬（しゅん）の話題について話す。

ここで共通テキストの大事さが出てくる。**語り合うための共通のテキストがないと、言葉が具体性を持ちにくい。**対話が漠然としてしまい、一般論的人生観を語ることになってしまう。それでは「話す力」を鍛えることにはならない。

テキストが映画や本であれば、あらすじを話したり、映画の背景の話や監督の視点、キャストの演技などをテーマにできる。生々しい自分の印象も言える。

あらすじを説明するだけでも、おもしろく話そうと工夫してみる。ストーリーの中で、どの部分を拡大して、どの部分をちょっとオーバーに言おうかなどという作業もする。

話すことで記憶を新たにし、整理することができる。そうやって1つネ

▶ ONE POINT

自分の投げたボールを相手が受け取ってくれる、相手のボールをキャッチする。言葉のキャッチボールをすることで会話の基礎が磨かれます。

タができる。それを冷凍パックして、冷蔵庫に入れておくように脳に蓄えておく。話しておかないと、本を読んでも、映画を見ても、経験として残りはするものの、印象が薄くなってしまう。話すことでたしかな体験となって残る。それがネタになるということだ。このネタの蓄積が大切なのだ。

「話す」とは、自分の脳という冷蔵庫の中からネタを選び、料理し、聞き手に食べさせる行為だ。

自分の脳の中にどれだけネタを詰めこめたかは、どれだけスパーリングパートナーと対話して、ネタを自分のものにしたかによって決まってくる。

いきなり実戦のプレゼンテーション、講演会、授業などで話せる力をつけようとするよりも、まずは一対一で、相手にいろいろなネタを話し、その文脈の中でおもしろい話ができるようにするのが第一の道だ。この練習を重ねると、かなり話がうまくなるはずだ。

できれば、自分と同レベルか高いと思える相手と組むのがいい。すると自然に力が伸びていく。

「おしゃべりする」という意識では、いくらやっても無駄だ。対話には、練習ではあるが、リングに上がってグローブを付けてスパーリングするのと同じくらいの緊張感が必要だ。

◉知的対話ができそうな人を見つける

2人で対話のスパーリングをするときには、たとえば、大きめの紙を、2人の間に出して、**話しながら図化していくマッピング・コミュニケーション方式**が有効だ。友人と私は、2人で話しながら、真ん中に置いた紙にどんどん書き入れていくということを習慣にしていた。

それも喫茶店の中で、**1時間半程度という限られた時間で、レベルの高い、知性にあふれた会話をするという目標の下でやる。**私たちの場合は、知的水準の高い話、相手が「ほぅ」と思うような視点、認識を話そうと心がけていた。

学生時代は、自由な時間も多く、そうしたことをやるのにもっとも適し

▶ONE POINT
相手との間に紙を置き、会話の内容を図に書き起こすと、話し方に筋道が立ってきたり、堂々めぐりが防げる。情報の漏れがなくなります。

た時期だ。だからこそ、つまらないおしゃべりで時間を潰すのではなく、ひたすら知的な会話を心がけてほしい。

対話でなくても、相手に聞いてもらうだけでもいい。それで「どう、おもしろかった？」と聞いて、ダメ出しをされながら鍛えられていく方法もある。それならば、自分と同レベルでなくてもいい。

できるなら、「知的興奮がわきおこる会話」ができるような相手を見つけたい。**知的興奮を味わえない相手とは、深いつきあいをする必要はない。**知的な興奮ができる相手を見つけたら、お願いしてでも対話をしてもらうことだ。

私の授業では、2人1組か、4人1組で対話実践形式でやる。私の教え子たちは、その授業の中で出会った友達と授業以外でもコンビになり、卒業しても友達としてつきあうこともあるようだ。

授業という知的な実践を通して、プライベートでも対話のスパーリングパートナーになれるとしたら、素晴らしい出会いだと思う。

◉「話が深い人」になるエッセイ・トレーニング

実際に対話で訓練することが大切なのは、今述べてきた通りだ。ただし、自分に内容がなければ、いくら対話を積み重ねても無駄だ。「話す力」をつける基礎力は、自分の内容を充実させること、すなわち勉強することだ。ネタを吸収するにもセレクトするにも、まず知的な力が必要だからだ。

私が話し方教室で教えるとしたら、話し方のテクニックではなく、基礎力をつけるため、まず毎週本を2冊ずつ読ませる。**普通の人が、本を読まずに知的におもしろい話をしようというのは、少々甘い。**

たとえば、ドストエフスキーを読ませたとする。次に、ドストエフスキー作品の中から自分でいいと思った箇所を引用しながら、自分の経験とからめておもしろいネタを1つつくってもらう。さらに、オチになるようなワンフレーズをつくり、人の気をひくような命題をつくってもらう。そ

▶ONE POINT
自分が引用したものに対して強い思いを抱いているということを示しながら話せば、それはその人の魅力になっていく。相手の心に残ります。

れをもとにエッセイを書かせ、もちろんそれにタイトルをつけてもらう。

次に、「書いたものを見ないで、みんなの前でおもしろく話しなさい」と言って、やってもらう。

エッセイを書くには、ドストエフスキー作品からの引用文を自分で選んで入れなければならない。引用に、その人なりの角度が出てくる。さらに、それにからめて自分の人生経験の中のおもしろいネタをくっつけなければならない。命題もつくらなければならないし、タイトルもつけなければならない。

そうやって毎週エッセイを課し、そのエッセイを見ないで話してもらう。そうしていると、必ず「話す力」がつく。

だから本を読まないで、話し方の技術だけで勝負しようと考えるのは甘い。**本を読む人と読まない人の話は、レベルが違う。**

話す力がつくというのは、話し方がうまくなるだけではなく、考えが深まることでもある。そのことによって人間的にも深くなる。

話す力がついたということは、人間としての基盤ができたということになる。

●「知情意」、そして「体」を鍛えよう

知性、感情、意志の3つを「知情意（ちじょうい）」と言う。この3つは人間としての根本的なものだ。「話す力」をつけるためにも、この3つが必要だ。

今述べた、**本を読んで知識をつけることは、すなわち「知」を身につけることだ。**

「情」とは、人の気持ち、感情を読み取る力であり、話す場合で言えば、**聞いている人たちの雰囲気、感情を読み取る力**である。

「意」とは「意志」であり、話す場合で言えば、**「これを伝えたいんだ」という強いメッセージ性となる。**

そして、もう一つ大切なのが「体（たい）」で、話すときには、**声の調子やジェスチャーや顔の表情などがとても重要になる。**話し手の身体が健康でしなやかでなければ、それだけで相手に対してのアピールは弱くなる。

その点では、「知情意」の中心に「体」があると言ってもいい。そこで

▶ONE POINT
話しベタな人は、手や目など身体を動かさない。表情、しぐさ、アクション……身体全体を駆使して「話を届ける」という意識を持ちましょう。

「知情意体」という言葉をつくってみた。

つまり、**知性があり、感情面の理解があり、これを伝えたいという意志がある。**さらに、語るときのテンポの良さ、声の張り、晴れ晴れとした顔の感じ、あるいは重々しい感じなど、それらが揃(そろ)って「知情意体」が備わった話し方ができる。「話す力」をつけるとは、この「知情意体」を鍛えることでもある。

各章末で実例を挙げていくが、永六輔さんや小林秀雄(こばやしひでお)など、本書で取り上げた人たちは「知情意体」が揃っている。

一般には、**伝えたい「意（欲）」はあっても、あるいは場の雰囲気を感じ取る「情」があっても、「知」が足りない**というケースが多い。さらには、聞き手に向かう「体」ができていないことが多い。

逆に、「知」があって、書くことはできるが話せないという人もいる。こういう人は、**聞き手の反応を敏感に感じることができる「情」や「体」が欠けている**ことが多い。話すことが、書くことと違うのは、「情」と「体」をとくに求められるところだ。

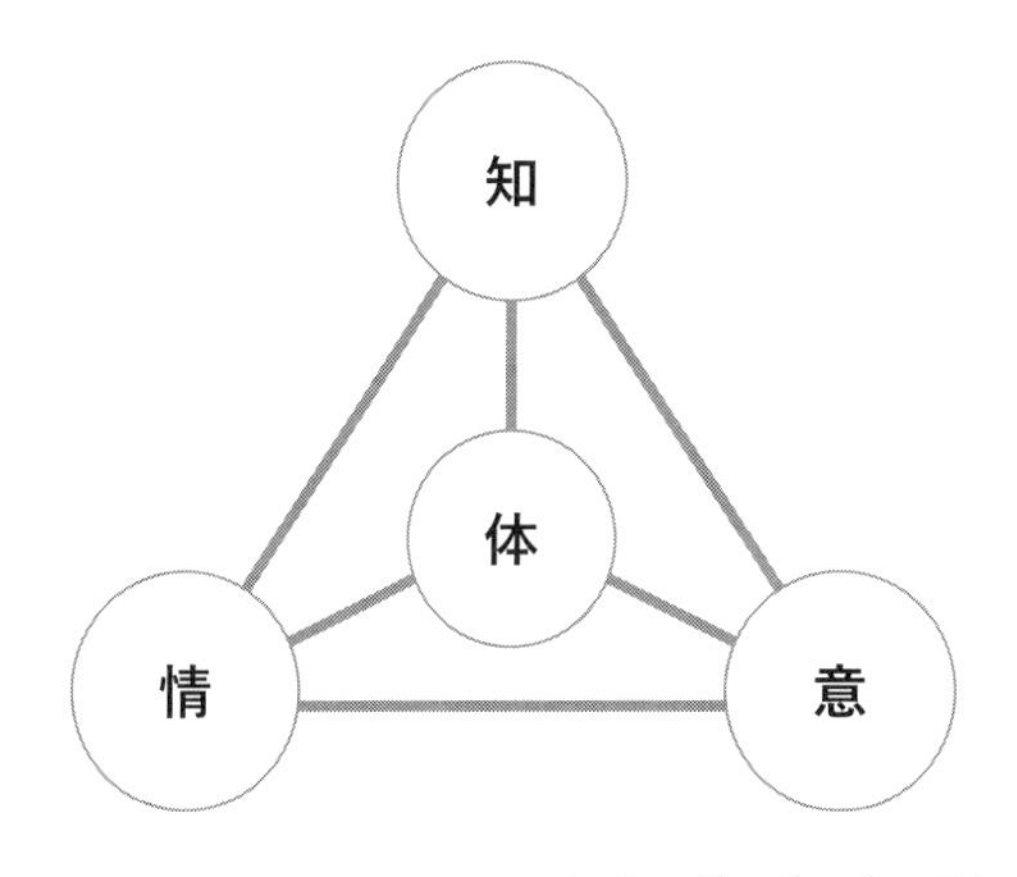

「話す力」を鍛えるプロセスでは、「知情意体」をバランスよく鍛えなければならない。自分が「話し上手」だと思っているとしても、この「知情意体」が揃っていなければ、それはたいしたレベルではないことを、まず自分で知らなければならない。

▶ONE POINT

目を見る、微笑む、頷く、そして相槌を打つ。話をするときに、この４つを確実にこなすと、会話の雰囲気はかなり温かくなります。

話し上手に学ぶ

永六輔 ——① オチとアイディアで聞かせる話芸の極致

●えい・ろくすけ
1933年生まれ、2016年没。早稲田大学在学中からラジオのシナリオをてがけ、テレビでも活躍。タレント、作詞家、著述家としても高名。

▼講演　永六輔の学校ごっこ

ただいま、ご紹介にあずかりました永六輔です。（笑）（拍手）

井上ひさしという友だちがいます。彼がいちばん大事にしているのは、〝難しいことを面白く、面白いことを深く、深いことを易しく〟で、これが彼が物を書くときの大前提なんです。彼は、そういうことを考えているから、原稿が遅くなるんです。（笑）

でも、これはとても大事なことで、なぜかと言うと、ここのところ、大蔵省を含めて、銀行や証券会社の問題、その他財政と金融をどう別にしなければいけないか、なぜ、ビッグバンを控えて、経済界がガタガタしているか。これは日田だって同じことですよね。そういう状況って、いっぱいあるじゃないですか。われわれ、聞いてて、皆さん話が全部わかります？　経済って、難しすぎると思いません？　例えば銀行。どうして〝銀行〟って言うんでしょう？　どうして銀行のエライ人は、社長じゃなくて〝頭取〟って言うの？　僕、すごく気になるんです。

〝為替〟って、どうしてああいう字を書くの？　そういうクエスチョン・マークがいっぱいあるのに、ニュースの中でどんどんやられてしまうと、ついて行けなくなっちゃうんですよ。それを今年はぜひ解決しながら、話を聞いて行こうと思ってます。

経済って、一体何なんだ？　第一、その〝経済〟って言葉。調べてみると、福沢諭吉がつくった名前なんです。彼が、〝エコノミー〟という英語を漢文の中から〝経世済民〟と訳したんです。それを〝経済〟と短くしたわけです。〝エコノミー〃を〃経世済民〃と訳した福沢諭吉は、漢文の素養があったからでしょうが、それはそれでエライですよ。エライけれども、難しすぎませんか？〃エコノミー〃って、普通の英語の辞書を引いてみてください。〃節約〃って書いてあります。節約のことなんですよ、経済ってのは。ですから〃経済学〃というのは〃節約学〃のことなんです。そういうふうに置きかえて行くとわかりやすいでしょ!? 大蔵省は節約してないんですよ。（笑）

『自由の森で大学ごっこ』（小学館）より

《解説》おトク感を演出する連続技

永六輔さんは話の名手である。その特徴は、話の一つひとつにオチがあることだ。それぞれの話がネタになっていて、話自体が芸になっている。つねに、お客さまに応(こた)えるという形である。このネタが外れたら、別の球（ネタ）を投げてみようと、ネタをたくさん用意している。受けなかったら、どんどん次の球を投げるというサービス精神の持ち主だ。

経験を重ねると、だんだん受けるネタがストックされてくる。**受けるネタとは、話にきちんとオチがあるものだ。**聞き手を「ほぅ」と納得させるか、「ハハハ」と笑わせることができる。

さらに、うまい話には、教養があふれている。永さんの場合も非常に教養があって、他の人が知らないようなことを知っている。自分自身の思いつき、アイディアもある。そして、アイディア＋オチで、笑いを持ってくるひとことがある。

話に前置きがないのも特徴だ。

「ご紹介にあずかりました永六輔です。井上ひさしという友だちがいます」といきなり入ってくる。この唐突感が効果的だ。いきなり本題か、脇道かわからないが、とにかくもう歩きはじめている。

話のヘタな人の特徴は、前置きが長すぎて、なかなか歩きはじめられないことだ。「大した話はできませんで、私ごときがこんなところに立つのは……」などと、予防線を張るところから入る。その時間が無駄になって

▶ ONE POINT

普通の人がオチのある話をしようとすれば、前置きがどうしても長くなります。おもしろいネタは話のオチにせず、話のマクラにしましょう。

いる。永さんは、そういうことは一切しないでいきなりネタから入る。

井上ひさしの話は、ひとまとまりのネタになっている。永さんにはこういうネタが何百個、何千個もあって、そこから、**文脈に合わせて、また、相手のレベルや相手の状況に合わせて、取りそろえていく**という料理法だ。

井上ひさしについて、「彼がいちばん大事にしているのは」といきなり言われたら、聞きたくなる。

そして、「〝難しいことを面白く、面白いことを深く、深いことを易しく〟で、これが彼が物を書くときの大前提なんです」と言われると、聞き手は、これだけを聞いても「今日は来た甲斐(かい)があった」と思う。家に帰ったら色紙(しきし)に書いておこうというぐらいの気になって、おトク感がある。

ほとんどの人は、井上ひさしのこの考えを知らないだろう。永さんが直接聞いた話かもしれない。だとすれば得がたい情報であり、それを開示してくれているわけだ。

その上で、「彼は、そういうことを考えているから、原稿が遅くなるんです」

とオチをつけている。原稿が遅れるというのは井上ひさしの特徴で、広く知られている。一見、彼の弱点を突いているようで、「じつはそういう大事なことを考えているから遅くなってしまう」という評価もこめている。相手を茶化しているようでフォローも入れているという、非常に高度な芸になっている。

「でも、これはとても大事なことで」と受けて、いきなり井上ひさしの話から大蔵省や銀行の話、経済の話に飛んでいく。この飛び方、飛躍が非常に話を軽やかにする。

その次に、「経済って、難しすぎると思いませんか?」など、「どうしてあんな難しいことをやるんでしょうね」というニュアンスをこめて、**疑問形で相手の注意を喚起していく。**疑問を投げかけるだけでは話にならないが、そこでまた教養が出てくる。

福沢諭吉がエコノミーから経済という言葉をつくったという。「エライけれども、難しすぎませんか?」と、ここで福沢諭吉の小ネタが入ってく

▶ONE POINT

古典の名作からの引用は教養をひけらかすように言うのではなく、つい教養がこぼれ落ちてしまったかのように、控えめに言うのがお作法です。

るので、聞き手側のおトク感が増す。

その上で永さんならではのプラスアルファのサービスがある。エコノミーを永さん流に訳して「節約学」という言葉を出す。ここまで言われると、「おぉ、節約学か」とかなりのおもしろさを感じられる。

起承転結で言うと、「経済って、難しすぎると思いませんか」が「起」だとすると、「承」が「福沢諭吉がつくった名前なんです」。「転」は「ところで」なので、「〝経済学〟というのは〝節約学〟のことなんです」と、「節約学ってどうでしょうか。最高でしょう」という感じでもってくる。

アイディアは「転」のところがいちばん大事だ。「転」が効いていれば、そこから逆算して「起」「承」はつけられる。この話の場合には、「転」の節約学というところにすべてがある。

「結」で「大蔵省は節約してないんですよ」というオチになっている。これでひとまとまりの話になっている。高度で非常に整ったネタが矢継ぎ早にマシンガンのように繰り出されている例だ。

第2章

頭のいい人の話に変わる〈3つの力〉

1 ネタ力――話す前に考えること

◉意味ある話をネタとして用意する

簡単に話がうまくなる方法としては、意味のある話を聞くなり、読むなりしてたくさん仕入れることだ。そして、仕入れたらすぐ他人に話してみる。

人に話すときには、自分なりに要約して再生することになる。要約して再生できるようになると、それが自分のネタとして蓄積できる。

『日本語力と英語力』（中公新書ラクレ）という本で私が対談した斎藤兆史（さいとうよしふみ）さんは、「**小ネタ主義**」と言って、英語で30秒くらい話せる小さいネタを増やしていくことが、英語上達のコツだとおっしゃっていた。

英語で30秒くらい話せる小ネタがどんどん増えていけば、話題も広がって、自然に英語が話せるようになるという。

英語で会話しているときに、話の途中で、何とか自分の得意ネタに持っていく。そこで1分間くらい自分のネタで話をする。そのネタについてはしっかり準備しているし、話し慣れているので英語でもスムーズに話せる。

もちろんそのネタを持ちこむときに、それまで話されていたこととあまりにもかけ離れた話題ではまずい。当然、話の流れ、文脈力が問題になる。**話の文脈を外して、「話は変わるんだけど」という言い方は避けたい。**少しでも自分のネタに引っかかりそうな話題が出たら、「そういえば……」と言って、自分のネタに持っていくのだ。

できれば、**そのネタにはオチが欲しい。**オチがあると、いきなり自分の話に持っていっても、おもしろいということで許される。

この斎藤兆史さんの小ネタ英語上達法は、日本語で話す力をアップさせることにも応用できる。ひとまとまりの意味のある話のネタを増やしていけばいくほど、話はうまくなる。

▶ ONE POINT

好きな映画や本の内容などを友人に話すことで、ものごとをかいつまんで説明する「要約力」がついてきます。

前述したように、ネタを川の中の置き石とすると、話をすることはその置き石をピョンピョン跳んで渡って向こう岸にたどり着くというイメージになる。

足がかりにする置き石が少ないと、途中で川に落ちてしまう。川の幅が話をする時間だ。これがたとえば15秒間ならば、ネタなしでも川を渡るイメージを抱ける。

ところが、話す時間が、3分間、5分間となると、川幅は5メートルくらいになるだろう。すると、置き石を3つくらいは置かないと渡れない。

だから、ネタという置き石の数を多くすることが、長い時間、話せるようになる第一の条件といっていい。さらに、**機会をとらえて同じネタを繰り返し話すことで、内容も吟味(ぎんみ)され、話し方もうまくなる。**

たとえば、講演会も回数を重ねれば重ねるほどうまくなる。私は何百回と講演をしているが、その中で聞き手の反応のいいネタは繰り返して、反応が鈍かったネタは捨てていく。このように、同じ話題を何度も話していると、だんだん洗練されて、おもしろくないものは削り取られて、おもしろいものだけが残る。

座談の名手と言われるような人でも、１つのネタを何度も何度も繰り返して、うまくなっている。

落語などでも、ネタは同じでも話し方次第でおもしろさが変わってくる。同じ噺（はなし）でも、何十回、何百回と繰り返して話すうちに、客席の反応を見て研究できる。口調も含めて、つまらないところを捨てて、反応のいいところを広げれば、だんだん噺が洗練されてくる。

話している途中で、ネタを忘れてしまうことがある。そこで忘れないようにするために、ネタにキーワードという表札をつけておこう。そのキーワードを思い出せば、ひとまとまりの話を思い出せる。

さらに話を展開させる場合、**あるネタから次のネタに移るとき、どのネタにするのか、その選択肢が３つは必要である。**

その場の反応や聞き手の年齢や好みなどを考えて３つから１つを選べるようになるといい。ネタにつけるキーワードは、最低３つ用意しておこう。

▶ONE POINT
記憶の引き出しの中にある経験や語彙を、目の前の状況からとっさに判断して組み合わせる練習によって、言葉のセンスが磨かれていきます。

●聞き手の反応でネタを「切り替える」

男性・女性、あるいはいろいろな年齢層を想定して、その人たちのための話題――ネタをどれだけ持っているか、チェックしてみるといい。

たとえば、幼稚園児が興味を持っているものを知らなければ、彼らとはスムーズに話ができない。彼らの好きなものについて、ある程度知識を共有していなければならない。ふだんから自分の世界を広げておいて、聞き手に届くようなネタを増やしておく必要がある。

ネタをたくさん持っている人は、たいてい話がうまい。というのは、その場の雰囲気を察知して、「このネタでは、どうも反応が今ひとつだな」と思ったら、すぐに別のネタに切り替えることができるからだ。

そのときの観客の感触次第で、自分の数ある持ちネタの中からセレクトして話していければ、話の上級者である。

ネタの組み合わせで話を増やしていくこともできる。1～3分程度で話せるひとまとまりのパックになったネタがたくさんあると、使い回しが利く。

ネタを増やすために、ネタ帳をつくるのも一つの方法である。

私の授業では、毎週、英語か日本語で、「自分の経験の中でもっともおもしろいエピソードを3分間で話しなさい」「知性、教養にあふれる話を3分間しなさい」「自分の好きなものについて英語で話しなさい」などと課題を出す。

テーマは毎週変わって、何が出るかはわからない。しかし、ネタをたくさん集めておけば、そのときのテーマに適したものを選んで話せばいい。あるいは、テーマにそった形にネタを加工すればいいわけだ。

だから、学生にはネタ帳をつくってどんどんネタを増やすことを奨励している。1〜3分であれば、ネタは1つでも話は充分にもつが、**3分間の中で、次々と連続してネタを連発する**という手もある。短い時間に3つもオチのある話を聞くと、聞く人はそれだけでも納得するものだ。

話し手が次から次へとネタを繰り出すと、聞き手は話し手にあふれ返る

ONE POINT

感情は刻一刻と変わっていきます。相手の機嫌が悪くなったら話題を変えるとか、退屈しはじめたら冗談の一つも挟むといった配慮が必要です。

ようなパワーを感じる。すると、**ネタが多少ゆるくても、文脈のつながりが悪くても、そのパワーに免じて許してくれる**ものだ。

自分のネタ帳にネタがたくさん貯（た）まれば貯まるほど、聞き手によって、あるいはその場の雰囲気に合わせて、繰り出すネタを変えることができるようになる。聞き手が高校生であっても、あるいは70代の人であっても、ネタの選択肢に困らなくなる。

だから、**自分の中に好きなもののワールドを幅広く持っておきたい。**好きなものの幅広さ、関心の幅広さが、相手の持つ空気を読む力と直接つながることにもなる。

講演など、多人数の前に出て話すためには、話す内容をまとめる能力が必要である。それだけでなく、「相手は今こういう状態だから、このまま話しても聞いてくれない。彼らが求めているのは、もうちょっと違うところかな」と勘を働かせて、話題をそちらへずらしていき、それで反応がよければ、そこから話を広げていく。そういう能力が必要になる。

もちろん、聞き手は黙っている。だが、その沈黙の中にも、目の動きや表情などいろいろな反応を感じ取って、話題の選択に活かしていかなくてはならない。つまり、大勢でも少数でも、数人の前で話すときにも、対話の感覚が求められるということだ。

対話の場合には、相手が反応する興味のある話題にどんどん移っていく。そういう感覚が、一方的に話す場合にも活かせると、ライブ感が出てくる。聞き手にも「あの人は、今ここにいる自分の存在を認めながら、話してくれているんだ」とわかる。それが聞き手にインスピレーションを起こさせるきっかけになる。

だから、**最近起こっていること、今流行っていることを話題に入れていくと、聞き手をひきつけやすい。**それは「今」という感覚が生まれるからだ。そこに、もう少し普遍的で、いつでも通用するような内容をうまくからめて、リンクさせていく。さらに自分自身の経験世界のエピソードを入れこむことができれば、なおいい。

▶ONE POINT

今流行っている本や映画、音楽は、すかさず「インプット→アウトプット」する。ポジティブに語ると、大きな共感を得られやすいです。

2 テーマ力――何をどう話すか

●「仮説的な問いかけ」をタイトルにする

講演のタイトルというと、「○○の新入社員を迎えて」といったものにしてしまいがちだ。だが、それは本来タイトルとは言わない。

タイトルとは、自分の言葉で、今、何を伝えたいかを表現したものだ。

タイトルに「信念」とか、「真面目さ」といった、古くさい言葉を使うと、それだけで聞き手に、「またか」「まぁ、こんな話なんだろうな」と思わせてしまう。そうした古くさい言葉をタイトルに持ってくるのは、その人が形式的にしか話せないことの表れでもある。そうすると、聞き手は聞く意味がないと判断して、聞く構えをなくしてしまう。

私は自分の本に、『働く気持ちに火をつけるミッション、パッション、ハイテンション！』（文春文庫）というタイトルをつけた。この場合、それまでだれも使ったことがない言葉をそろえることで、できるだけ自分のスタイルを貫こうと考えてのことだ。

本のタイトルには、著者も出版社もエネルギーと時間をかける。**話をする場合にも、タイトルにはエネルギーを注ぐべきだろう。**

話のタイトルは、「これはこうなんじゃないか」といった仮説的な問いかけがあるものがいい。その仮説に反発するにせよ、賛成するにせよ、どちらにしても聞く気が起こる。

自分の言いたいことを、少々思い切ってもいいから、仮説にして、タイトルにしてみよう。

●「最終着地点」を明確にする

タイトルは、話の命題（テーマ）から生まれる。

▶ONE POINT
自分がいちばん伝えたいことを「演題」にして、最後にその言葉で締めることができれば、聴衆の印象に強く残ることは間違いありません。

最終的には「○○は……である」という命題を用意しておく必要がある。たとえば、「頭が良い人は……である」の「……」にきちんとした言葉が入れば、テーマが明確になり、話ができる。

「とりあえず○○について話します」という表現と違って、「○○は……である」と、なぜ言い切れるのかを話すことになる。

「……」に入るものが、思い切った仮説でも、自分が本当にそう思っていれば、魅力的なタイトルになる。

『「頭がいい」とは、文脈力である。』（角川書店）というタイトルで本を出したことがあるが、テーマがブレないので意外に書きやすかった。

タイトルは、「言われてみればそうだな」というレベルならまあ合格、さらにいいのは、「そんなことを言った人がいない」、あるいは「そんなことは一般的ではない」というようなものだ。

そうなると、タイトルが絞り切れた時点で、必然的に話ができてしまう。前述した本の例でいえば、「働く気持ちに火をつける」のは、「ミッション・パッション・ハイテンション」だと言い切っている。すると、なぜその3つなのかを説明しなければならない。

なんとしてもゴールに行くまでの道筋をきちんと説明しなくてはいけないというタイトルがつけられれば、しめたものだ。

そのためには、説明を必要とするような命題を立てて自分を追いこみ、凝縮させてみるのだ。

話すことは、それを人前で解凍する作業になる。凝縮するという作業が話す前の作業だ。

聞き手にとって意外なことが提示され、「これがなぜそう言えるのかというと」という展開で持っていくと、人は聞きたくなる。

もちろん、結論として落としどころに説得力がないといけないが、最終地点の命題を最初にはっきりと提示しておけば、後の流れがつくりやすくなるのはたしかだ。

▶ ONE POINT

「重要な点は3つある」「第一に～」「第二に～」「第三に～」とポイントを明確に話すと、「よく整理されているな」という印象を与えます。

◉とりあえず奇をてらってみる

抽象的なタイトルや平凡なタイトルは、聞き手の興味を絶対にひかない。タイトルは、具体的なイメージがはっきりするものを持ってくることだ。もちろん、それがユニークなものであればあるほどいい。

私は学生に、「学ぶとは……である」をタイトルにして、「原稿用紙に10枚以上書きなさい」といったレポートを出すことがある。

なかには「学ぶとは何か」というタイトルで書いてくる学生がいる。このように**何も定義していないものは話にならない。**もっとダメなのは「教えるとは何か」などと、自分で勝手にテーマを変えてきてしまう学生だ。

こういうケースを別にすると、比較的多いダメなタイプは「学ぶとは生きるということである」というようなタイトルだ。「生きる」という言葉ではあまりにも抽象的、漠然としていて、意味がほとんどない。つまり、頭をまったく使っていないと判断できる。

「生きる」という言葉が出てくると、大きいし、含蓄がありそうで悪くないと思うかもしれない。また、「学ぶ＝生きる」だと反対できそうもないから、いいと思うかもしれない。しかしそれは、**「まぁ、そりゃそうだよね」といったレベル**だ。

挑戦もなければ新しい発見の予感もない。それでは読む気がしない。話も同じだ。聞く気がしない。まず、あまりにも当たり前のタイトルだけはつけない、という心構えが必要なのだ。

抽象度が高い、大ざっぱな言葉を使うのはわかっていない証拠だ。もう少し考える人になると、「学ぶとは旅である」「学ぶとは自己成長である」「学ぶとは出合いである」などとくる。だが、これらのタイトルでは中身を読みたいという気持ちを起こさせない。

いいタイトルとはどういうものか。いいタイトルにも、いろいろな種類がある。たとえば、できるだけ具体的に説明するタイプもある。「学ぶとは、自分とは異質な他者と出合うことによって自分自身に気づいていくことで

▶ONE POINT
本質を言い表す一語をつくることは説明の技術として重要ですが、「愛」や「人生」ではその事物ならではの本質を捉えているとは言えません。

ある」とか、「学ぶとは、既知の部分を土台にして未知の部分を獲得していく行為である」などである。

そういう答えならば、少なくとも「生きる」よりも、具体性はある。「自分とは異質な他者と出合うことによって自分自身に気づいていくこと」とは、「どういうことを言っているのか？」と逆に問いかけたときに、「学ぶ」と答えることができる。

しかし、「旅とは？」「出合いとは？」などから、逆に、「学ぶ」とは答えられないだろう。

その人自身が考え抜いて話すのでなければ、人に伝える意味がないし、聞く価値もない。

ゆるい話とは、手垢(てあか)にまみれた抽象語を乱発することだ。そんなどうにもならない語彙(ごい)が、スピーチ集の中にはあふれている。それでは、話し手が本当にその意味をつかんでいるようには感じられない。

その言葉から、具体的にイメージできることが重要なのだ。だから抽象的な言葉は避ける。

もう少し高度になると、「謎(なぞ)かけ」のように、それ自体は何を言っているのかわからないが、「聞いてみようか」という気持ちを起こさせるタイトルがある。この場合、オチがつまらなかったらダメだが、「あぁ、なるほど」と思わせられるかどうかだ。

平凡であることを、みんなリスクだと思っていない。逆に奇をてらって外したときは、みんなからバカにされる、つまらないと思われて被害が大きいと思っている。だが、じつは逆だ。**平凡がいちばんリスクが大きいのだ。**

平凡でつまらない話だと言われたらもう終わりで、話が奇をてらいすぎていてちょっと外しているというほうがまだましだと考えよう。

とりあえず奇をてらってみるといい。「**人と同じことだけは言わないぞ**」という心構えが必要だ。

ONE POINT

聞き手が「要するに、そういうことなんですね」と、すぐに腑に落ちる上手な具体例を示せる人は、理路整然とした頭のいい人と思われます。

◉キャッチフレーズ化・格言化する

話すとは、最終的には、相手に明確なメッセージを残すことだ。だから、いちばん言いたいこと、伝えたいことだけは、明確に相手に伝わるようにする必要がある。

そのためには、もっとも言いたいことをキャッチフレーズにするのがいい。**最初に言うことと、最後に言うことに切れ味のよいキャッチフレーズが入っていると、聞き手にスッキリ感がある。**キャッチフレーズといっても、広告コピーのようなものだけではない。格言のようなものでもいい。

キャッチフレーズや格言は、聞き手の中に残りやすい。

たとえば「ネガティブな意見を言っている暇があったら、アイディアを出せ」というフレーズを、話の中で何度か繰り返す。そして最後もそれで締める。

今日の話のポイントはこれしかないというような、**短く、わかりやすく、言いやすく、残りやすいキャッチフレーズ・格言をつくろう。**

聞いている人は、せっかく講演を聞くのだから、何か心に残ればいいと思っている。切れ味のいいキャッチフレーズが入ってくると、「あぁ、今日の話は、そういうことを言っていたんだ」となる。話の内容のほとんどは忘れてしまっても、印象的なフレーズだけが残る。

私は最近の講演会では、さきほど述べた「ミッション、パッション、ハイテンション」の話をする。そこで「ミッション」「パッション」「ハイテンション」のそれぞれの説明をする。

また、「自分を元気づけるためには自画自賛するのがいい」ということを伝えるために、「自画自賛力」というキャッチフレーズをつくる。

結局、いろいろな話をした中で、「今日は『ミッション、パッション、ハイテンション』でした」とか、「自画自賛力を持ちましょう」と言うと、**聞き手に一つの明確なメッセージが残る。**

途中で、忘れないように練習してもらったりもする。「ミッション、パッション、ハイテンション」とみんなに言ってもらって、「ハイテンション

ONE POINT

韻を踏んでいてテンポがいい、慣用句をもじっていてユーモアがあるなど記憶に残るフレーズに、言いたいことを落とし込むことが大事です。

が最後ですからね。使命感を持って（ミッション）、受難的情熱を持ち（パッション）、そして上機嫌で行う（ハイテンション）。そういうふうにすると、仕事というのは楽しくできる。わかりやすいでしょう」と説明する。

最後には、「他のことは忘れてもそれだけは残りましたね」などと念を押す。

話の構成も、ここまでの内容は「ミッション」、ここからは「パッション」の内容、最後は「ハイテンション」の内容といったように、いくつかパーツを設けて名前をつけておく。すると、聞き手はこの3つの袋をまとめて持って帰りやすくなる。つまり、話の内容をきちんと理解して心に残してくれるのだ。

●色紙に書くことで「考えを凝縮する」

聞き手に、「今の話は、結局何だったの？」と思われてしまうのが、いちばんつまらない話ということになる。

少なくとも、「結局、これが言いたかったのか」と伝われば、おもしろくはなくても、聞いているほうも気持ちが落ち着く。

話を締めるためにも、最後には切れ味のよいキャッチフレーズを用意しておいて、そこから逆算して話す。格言風でもいいし、単語の羅列（られつ）でもいい。「結局、これが言いたかったんですよ」という話に持っていく。**キャッチフレーズを明確に示すため、色紙に書いて聞き手に見せる方法もある。**

色紙にしておくと、最終的には話をそこに持っていけばいいので、落ち着いて話ができる。印象づけの効果も大きい。

ただし、色紙に書く内容は当たり前のものではダメだ。

普通の人が言いそうなことからちょっとずれたところで、命題を立てるのがコツである。逆説的表現で、常識的には考えられないことを言って、相手の注意をひく。相手を「これは、なんだ……」という感じにさせる。

たとえば、「結婚生活には愛情が大切です」「勉強すればするほど立派な人間になれる」などは陳腐（ちんぷ）でおもしろくない。それが「勉強すると若さを保てる」ならば、ちょっと聞いてみたくなるはずだ。

▶ ONE POINT

常識を覆すインパクトを与えたり、何かの慣用句をもじったり、笑わせたり…CMや広告がどうやって人の心をつかんでいるか意識してみよう。

どうしても最初は、大きな命題で括(くく)ろうとする傾向が強い。風呂敷(ふろしき)を広げすぎてしまうと、話が抽象的になってしまう。焦点を絞りながら、「○○は××である」と決めよう。

はじめからいきなり、大きい絵を描こうとするのは無理で、話すことについても、小さい部分、細部から練習するとよい。

さらに命題を色紙にできるところまで考え詰めれば、話したいことが明確になる。

たとえ30秒でも1～3分の短い話であっても、色紙を用意するといい。色紙に書くとなると、その言葉の選択に迷う。**自分の言いたいこと、メッセージを、角度のついた短い言葉に集約させる作業**が必要になる。それから話す。すると、「意味の含有率」の高い話ができるようになる。

◉「3つのキーワード」を図化して構成する

「起承転結」とよく言われるが、いい話は結果としてそうなっている。だが、あまりに意識しすぎるのはよくない。

まず「起」を言って、次に「承」を言って、次に「転」で、「ところで……」のような話の展開は、型にはまっているのが見え透いていて、つまらないものになりがちだ。

それに言葉はどんどん消えていく。いくら論理的に緻密に組み上げても、聞き手がついてこれる保証はない。

起承転結よりは、つながりそうもない3つのキーワードをつなげていくのが、現実的なメソッドである。

「アレ?」と意外に思うようなさまざまなエピソードが出てきて、話が少しずつずれながらも、きちんとつながっているということが、話を聞く聞き手にとっては快感になる。

ただし、慣れないうちは、あまりかけ離れたキーワードにしてしまうと話が分裂してしまう危険性がある。

事前に3つのキーワードを図にしてみるといい。**図にして、そのつなが**

▶ONE POINT

話をするときはキーワードを3つに絞るとわかりやすくなります。要点がはっきりしなければ、記憶に残らないものになってしまいます。

り具合を考えておく。その流れをしっかり把握（はあく）して、時折、図化したものを見ながらであれば、話しやすく、話がいきいきしてくる。

メモも悪くはないが、メモの場合は、キーワードではなく、文章にしてしまいたくなる。話す内容を文章にしてしまって、その文章を見ながら話すと、文章にとらわれてしまい、どうしても硬くなってしまう。

キーワードを優先させて図化し、それを見ながら話す練習をしてから、その紙を伏せても話せるようになると、キーワードから外れることなく、それでいて自由に話すことができる。

●1分間、自分の中で語りかける練習

話す練習は、人に聞いてもらわなくても、自分で時間を区切ってやってもいい。

私は、学生に1分間の話をしてもらうときは、その前に学生全員に、「今から1分間計るので、その間に心の中でひたすらつぶやいてください」と言う。こうして、自分自身に語りかける言葉を「**内言**（ないげん）」という。

これをすると、１分の時間感覚がわかると同時に予行演習にもなる。自分に向かって、内側の言葉として話した言葉は、外に出てきやすい。

アナウンサーのように話し慣れている人たちでも、ＣＭの時間に何度も何度もつぶやいて予行演習している。

キーワードを図化しても、自分の中で内言をしてみないと、人前で思うように話すのは難しい。一度めは図を見ながら内言をして記憶したら、次は見ないでもう一度内言をしてみよう。

▶ONE POINT

話そうと思っていることを丸暗記するのではなく、「このことだけは話そう」と自分の中でキーワードを絞っておくと、うまく伝えられます。

3 ライブ力——現場で何をやるか

●頭の中を二分割しながら話す

話すときには、頭の中を二分割するとよい。**今まさに話していることに一つの頭を使い、もう一つの頭では、次に何を話すかを考える。**

今話していることがひとまとまりの島だとすると、頭の中でもう一つの島を探す作業が必要なのだ。

私の場合、対話でも、あるいは数人の打ち合わせでも、頭の中をいつも二分割して話している。そして、話しながら思いついたことのキーワードをメモしておく。

そのキーワードは、そのとき話している文脈では使えなくても、話がひと区切りしたら、そのキーワードから話題を出す。**キーワードという形で「話の島」をつくり、その島へ行けば、芋づる式にいくつかの話題が出るようにしておくのである。**

話しながら次の話題を探すのだから、頭の中を二分割するという高度な技だ。

用意した話題に聞き手が飽きている場合、そのまま進んでもダメとなると、焦ってしまう。聞き手の雰囲気が感じられるのは、それなりのレベルにあると言える。だが、それだけではダメなのだ。そのとき、自分のストックの中で、聴衆がひっかかりそうな**フック（ひっかける鉤）**を探さなくてはならない。

そして、いくつか順番にキーワードのフックを繰り出していく。すると、どこかでひっかかる。

用意したフックが少ないと困る。たとえばマグロ用のフックでイワシは捕れない。相手によっては、用意したフックではかからないこともある。

▶ONE POINT

いま説明していることが、話全体のなかでどのような位置づけなのかを聞き手にわかるように話すことが大切です。

だから、なるべく多くのフック、すなわちキーワードを用意しておくことが大切になる。

キーワードがたくさんストックされていれば、話をしながらでも、さらに別の話題を自分の脳の中から探せる。つまり、「今話していることを考えている脳」と、「次に話すことを考えている脳」の2つの脳を同時に働かせるのである。

2つの脳を同時に働かせることに慣れないうちは、ひとまとまりの内容とネタを1つの島のように図化して、「○○の島」「××の島」などとしておくと、「○○の島」を出してもダメな場合には、すぐに次の島に移っていくことができる。

●「引用の力」を利用する

話の中に引用をうまく入れこめると、聞き手との間に共通の基盤を持ちやすい。

たとえば、「シェークスピアは人間をものすごくうまく描いていて、彼のドラマは劇的なんですよね」と言っても、それだけでは何の意味もないに等しい。

そのときに、「シェークスピアは『世界は舞台、人は役者』と言いましたが」

と入れる。すると、「世界は舞台で人は役者か」と、**聞き手の頭にはっきりとした印象を与える。**あるいはCMのように「誘惑する者される者、どちらが罪が重いのか」というような一節を覚えていて、引用する。すると、聞き手は「なるほど」となる。

そういう一節を引用すると、**相手とテキストを共有することができる。**

対話では、相手の経験世界と自分の経験世界を触れ合わせることは比較的簡単にできる。しかし、一対多数の場合にはそれぞれの経験があまりにも違うので、共通のものができにくい。

そこで、話し手と聞き手とがテキストを共有することが前提となる。小説でも漫画でもよい。共有するテキストをプリントして配るといったように、現物を用意してもいいだろう。

●「雰囲気の感知力」で場の空気を読む

話すときに、**聞く相手がどのような経験世界を持っているのか、推し量**

▶ONE POINT
いい言葉を自分の語彙にできれば、それだけ話が充実します。言いたいことをうまく言葉にできないとき、引用が助けてくれることもあります。

りながら話をすることは重要だ。聞き手の経験世界で理解できるものを話すことで、はじめて話が通じる。それが「場を読む」ということだ。

場とは、その場の空気のようなものだ。同じ沈黙であっても、ダメな沈黙もあれば、いい沈黙もある。聞き手がもう飽ききっていて、「絶句」しているような沈黙はダメだ。同じ沈黙であっても、**話にひきこまれて沈黙しているのか、もう飽ききって沈黙しているのか**、その違いを肌で感じられなければ困る。

場の空気を感じる力を、私は「雰囲気の感知力」と呼んでいる。場の雰囲気を感知して、その場で話の文脈を変えていくということができないようだと、なかなか話し上手にはなれない。

今はどういう雰囲気なのか、冷めた沈黙なのか、感動を味わっている沈黙なのかを一瞬に感じ取る。皮膚感覚で雰囲気を感知する力が必要だ。

話の流れ、雰囲気をつかんで、それを手がかりに話題をセレクトしていく。うまくズラして、道を変えていくのだ。

さらに、聞き手がいったいどんなことに価値を置いて生きてきているのか、彼らの価値観や知識、プライド、あるいは背景となる人生経験などを考える。**聞き手の「人生という文脈」を推し量るのだ。**

こうしてその場の雰囲気、文脈を理解していかないと、反感を買ったりしらけた話になってしまう。

同じ話でも、20代の女性に話すのと60代の男性に話すのとでは、まったく違った空気になる。前者では好意的な笑いが起こっても、後者では居たたまれないような空気になったりする。

◉相手を見て「組み立て」を考える

「雰囲気の感知力」を活用するには、聞き手の人生経験を推し量りながら、そこに何がひっかかるのか、野球のピッチャーのように、**キーワード（話題）という球をいくつか投げてみる。**

話のうまい人は、最初の5分にいろいろな球を投げて、これは通用する、これは通用しないなどと反応を見る。その中で、「今日はこれにしよう」と、

▶ONE POINT

一人ひとりが場に対してどのように関わっているのかを見極める。一人ひとりを注意深く観察することで、場の雰囲気の感知力も高まります。

得意球ではなくとも、通用する球を探っていく。

聞き手を見て、相手が喜ぶような投球（話題）の組み立てができるようになると、話は格段にうまくなっている。

性別や年齢層などが異なる対象ごとに、自分の話がどのくらいもつのかをチェックしてみる必要もある。

たとえば、5～7歳ぐらいの、知り合いでない子と20分くらいの立ち話ができるかどうか。多くの人は、自信がないと言うだろう。では、若い女性が相手の場合はどうか。

キャバクラで、店の若い女の子と盛り上がって話せるから、自分は若い女性は得意だと思っているような人は危ない。相手は、お金をもらっているから、どんな話に対しても、「いやぁ、おもしろーい」などと反応してくれるのだ。彼女たちにしてみれば、あくまで仕事であって、それを「自分は若い女の子ともうまく話せる」などと思うと厳しいしっぺ返しを食らう。

「お金を払って聞いてもらう話」と「お金をもらってする話」とは、雲泥（うんでい）の差だ。

学校の先生の場合は、お金をもらって話す形式になっているが、聞いている生徒たちに、「その話にお金を払うか」とたずねれば、「払わない」と答える場合もあるだろう。工夫をしない先生の話は、つまらないし、学ぶことも少ないからだ。

学校の先生には、「お金をもらって話している（授業をしている）」という感覚があまりない。ところが塾の講師になると、評価が厳しいので真剣だ。生徒一人ひとりの状況をつかんでひきつけていくことができなければ、講師としてやっていけない。塾や予備校の先生のほうが話のうまい人が多いのは、条件が厳しく、いつも聞き手（生徒）の評価に晒（さら）されているからで、才能の問題というわけではない。

このように、つねに評価に晒されているような条件であれば、話す力はつく。しかし、普通の人の場合は、大勢の人の前で話したり評価されたりする機会は少ない。そこで、同じような環境の同じような年齢の人とばかり話すのではなく、**子どもから高齢者まで、同性も異性も、というように、**

▶ONE POINT

聞き手の経験や知識を喚起する説明、身体感覚を伴うような説明。優れた説明とは、聞き手に「わかった感」を通常以上にもたらすものです。

さまざまな人たちと話す機会を日ごろから持つように心がける必要がある。

●鮮度の高い新ネタを「アドリブで入れる」

話す現場で、話しながら思いつくことがある。私はよくそういう思いついた話題に話を振ることがある。それまで話したことがない、まっさらなネタを出すには、かなり、話す力がいる。

私の場合、新しいネタは、1時間半の講演でもせいぜい1つか2つだ。時間にするとせいぜい5～10分で、あとの1時間以上はすでにあったネタをうまく組み合わせて話す。

話し慣れているネタは、何度か話しているからこなれているし、聞き手に受けるようにアレンジもされてくる。しかし、いつも同じネタばかりで話すのはよくない。

聞き手は替わっても、話すほうは同じだから、慣れるだけでなく、話し飽きるということも出てくる。するど、聞き手にも、その雰囲気が敏感に伝わってしまう。

私の場合は、慣れたネタの中に新しいネタを入れてみる。受けたら、そのネタを少し拡(ひろ)げてみる。受けなければ、さっさと従来のネタに戻る。

できれば新ネタを1～3個出すといい。「ここだから話しますけど……」と言って、新しいネタを入れてみる。それだけで前の講演会とはだいぶ違う話になる。

新ネタとして、今現在起こっている、鮮度の高い現象や事件、経験を入れると、話が非常に生き生きとしたものになる。

⑭「具体的な物」を示して話す

話だけで勝負するのではなく、関連した物を持参して見せると効果は大きい。

たとえば、「〈渾身(こんしん)〉という言葉が大事です」と言っても、聞いている人はピンとこない。漢字すら思い浮かべられない人もいるだろう。ならば、

▶ONE POINT
情報も、身体と同じく新陳代謝が必要。新しく仕入れた情報を話題に取り入れるようにすれば、同じ話や古い話を繰り返すことはなくなります。

「渾身」と書いてあるTシャツを着ていく。そして、話の要所で、ぱっと上着を脱いで、「渾身」Tシャツを見せる。そうすると、「この人はここまでするのか。それほど〈渾身〉に思い入れがあるんだなぁ。そこまで思うからには、意味があるかもしれない」と、聞き手に印象づけることができる。

最近は、「上機嫌」Tシャツをつくった。ウラに「意味もなく」と刷ってみた。テレビの「徹子の部屋」に出演したときに持っていったら、話が盛り上がった。**抽象的になりすぎると話がおもしろくなくなる。**それを防ぐためには、Tシャツのような実物を示す方法が有効である。

話題に関連した「具体的な物」を示してもよい。**「これが、私がそのときに使った○○です」と、実物を示す**のである。すると、聞いているほうも「おぉ！」と感心するだろう。

物といっても、写真はまずい。大勢の人には見えないからだ。授業で学生に話をさせると、写真を持ってくる場合がある。しかし、それでは、みんなによく見えないし、独りよがりになってしまう。

資料としてプリントアウトしたものを配っておいて、「それを見てください」と話すのも手だ。

このやり方は授業に近くなる。授業は、意味のある話の典型と言っていい。本来、授業とは、意味のあることだけを話し続けるべきものなのだ。

たとえば、『源氏物語』についての授業でも、本当に『源氏物語』をよく知っている人が、要点をまとめて話してくれるとおもしろい。

そのときに、具体的な物に触れると、いっそう盛り上がる。「これがそのときに光源氏が使った扇子です」などと、平安時代の扇子を見せれば、当然盛り上がるだろう。

いつも品物があるとは限らないから、たとえば、**自分が記憶している一節を本を見ないで暗唱する。**聞き手に「やはり先生は違うな」と感じさせることができる。この場合の「具体的な物」は、原文となる。

次に、**原文のある一節、一段落だけでも、みんなで音読させる。**そこで、「この文章の意味はこうで、『源氏物語』では人間関係がこういう形で複雑

▶ONE POINT
名作は文脈に感情の起伏がうまく盛り込まれているので、音読すると名作の文章のリズムが身体に入ってきます。

にからんでいる。匂(にお)いの感覚や色の感覚が豊富に描かれている」などと説明すれば、聞いているほうもずっとわかりやすくなる。

具体的な物を見せて、それに即して話をしていくと、聞き手がリアルに理解できる。授業ではないが、ビジネスのプレゼンテーションなどでは、スクリーンで図や写真を豊富に見せて説明している。ただ話しているだけよりも、具体的に見せたほうが、聞き手を話にひきこみやすいからだ。

●個人的な体験を5分の1、織りこむ

個人的な経験をおもしろおかしく語るのも、一つの技である。

たとえば、笑いをとるスタイルといってもいろいろある。**自画自賛して自分を誇示するにしても、愛嬌(あいきょう)のある話し方のパターン、自虐パターンなどいろいろだ。**

自分の経験を、自慢話で鼻につくような感じではなく、失敗談でも成功談でも、エピソードを話の文脈に応じてうまく入れこむ。その話がはまった場合には、聞く側は話し手に親近感を持つ。

ただし、自分の体験を織りこむときには、話の本筋にからむオチがないと堪えられないものになる。「だからなんなんだ。ただの自慢じゃないか」となってしまう。あるいは、「何が言いたいのか全然わからない……」となる。

話を最後まで聞いてもらうには、「中心のテーマ」「おトク感のある情報」「現代性」「話す人の体験」のバランスが重要である。

個人的な体験を入れこむことは大事だが、自分にひきつけすぎてしまうと、今度は聞き手に「おまえなんかに興味はない」と思われかねない。有名人であれば、自分の人生を語るだけで、だれでも耳を傾けるだろう。しかし、普通の人が、「私的には……」などと話をしたとしてもあまり聞いてもらえない。

「私的」と言った瞬間、「なんで私があなたの人生、あなたの経験に興味を持たなきゃいけないの」と、聞き手が反感を抱くかもしれない。聞き手は、その話をとても共有できないと感じる。

▶ONE POINT

先人たちによる蓄積を組み合わせ、少しだけ自分なりの味つけをする。人の話に、自分の状況や経験を加味して話すのがコツです。

話し手の経験などのエピソードは、せいぜい、話の4分の1か、5分の1くらいまでだろう。自分のエピソードが半分でも許されるのは、波瀾万丈な人生を送ってきた有名人だけだろう。

一般的には、中心テーマを補強するような役に立つ話を選ぶことが大事である。

●自分の本心を確かめるように話す

劇作家で演出家の鴻上尚史さんが講演で「**相手に向かってだけ話そうとするのではなく、自分自身に語りかけるようにして話すという話し方がある**」と言っていた。

彼は、相手に向かって話しかけるのではなく、話しているテンポを変えて、我に返って自分に話しかける。そのときに笑いが起こることが多いらしい。

相手に話しているときでも、自分に対する意識も当然ある。そのときに自分に対する意識を少し増やして自分に対してつぶやくような感じで話す。自分の本心を確かめる、つまり、話している言葉と自分の本心との距離を確かめながら話していることが相手に伝わったとき、うまくいくのだろう。

自分の言いたいことと、実際にしゃべっている言葉とのズレを確認しながら話していることがわかれば、聞き手は**「この人は自分の心を誠実に伝えようとしている」**と思う。

この「自分に語りかける話し方」と対照的なのが、話の流れが非人格的な感じがする、いわゆる営業トークだ。立て板に水のように話すのだが、聞き手には本心がないと感じられる類（たぐい）のものだ。

営業職の人がたとえ自分の経験を話したとしても、**本来の自分の感性に蓋（ふた）をしてしまっているように感じられる。**あるいは、話し手本人に振り返るものがないように感じられる。

だから、営業トークのうまい人の話は鬱陶（うっとう）しく感じられるのだ。

営業トークの中でも人間臭い営業トークをする人がいる。そういう人のほうが相手に言葉が届き、物も売れるようだ。

それはいくつか理由がある。当人自身が自分の言っていることに強い確

▶ONE POINT

すぐに言語化できる事柄だけを話すのではなく、自分の中に埋もれている暗黙の知を掘り起こしながら話すことによって、深い対話ができます。

信を持っている、相手の反応を見て話ができる、相手と共通する基盤を築けるようなエピソードを持っている、着地点が見えている、などだ。

物を売ろうというのだから、相手はそもそも話し手である自分に疑いを持っている。そういう相手の猜疑心に寄り添って、「疑いを持たれるのはごもっともです。私自身も最初のうちはこうだった。……ここまでは信じられるけれども、これ以上は信じられない」ということをきちんと言うと、聞き手は話し手を信じることができる。

そして、聞き手を共感させることができれば、「この人の言うことは信じられる」となって、買ってもらえる。

自分の感覚を交えて話せる人は、営業の場合でも強い。私の知っている人で、誠実な地方出身のセールスマンがいる。その人は、方言を使って、ただ誠実に話しているだけなのだが商品が売れてしまう。

流暢な営業トークというイメージとは、正反対の話し方だ。

実際かなりの人たちは、相手の話の嘘臭さをかぎ分けることができる。立て板

に水のような営業トークには、どうしても嘘臭さを感じてしまう。逆に、誠実に話されると、信頼できる感じがする。

人前で話すときにも、立て板に水のような話し方をするよりも、話し方はうまいと言えなくても、**訥々（とつとつ）と自分を振り返りながら、実際にしゃべっていることと、自分が話したいこととの距離を確かめながら話すほうがよい。**そのほうがずっと、話し手の誠実さを相手に感じさせることができる。

▶ ONE POINT

説明力を向上させるには、小学生に説明することを想定して、さまざまな題材で子どもにもわかるような説明を練習するのも効果的です。

（話し上手に学ぶ）――②

古今亭志ん朝

論理的でなくても許される話し方

●ここんてい・しんちょう
1938年生まれ、2001年没。落語家。父の古今亭志ん生に入門し、1962年に志ん朝を襲名し、真打ちに。

▼秋のシチグサ

秋がすこしずつ深まってゆく中で、山あいの里や高原なんかでは、芒（すすき）が秋風にゆれて、おいでおいでをしているのではないでしょうか。

暑からず寒からずの気候のいい頃には、野原や山なんかへ出かけるのもよろしいでしょう。これを、野遊（のあそ）びと呼んで来ました。

夜になってネオンの巷（ちまた）へ遊びに行くのが、夜遊び。夜遊びもストレス解消のために行くのなら、まあ少しは健康的ともいえなくもないんですが、これが度を過しますってェといけません。

　その点、野遊びには度を越すということがない。おおむね健康的でございます。この野遊び、当節風に申しあげると、ピクニックやハイキングなどのようなものですな。

　秋の野に出て、私たちが眼にするのは、あちこちに咲いている草花です。その草花の中には、名はあっても、名を知られずに咲いているものもたくさんありますな。よく「名もなき花が咲き乱れ……」とかいってることもありますが、名もなきなんてェことはない。それぞれの草花には、ちゃーんとした名前はついているんです。ただ見た当人が、その名前を知らないだけ。ですから「名もなき」ではなくて「名も知らぬ」というべきだと思うんですがいかがなものでしょうか。

　名も知らぬ草花の中で、よく知られているのが、いわゆる秋の七草(ななくさ)。で、この七草は、七つの草花ではなくて、七つの種類の草花という意味なんだそうですね。七つの種類と解釈しますと、これはかなり範囲が広くなり、風情も増そうというわけです。

名は知らず草ごとに花あわれなり

むかし、万葉集の中で、山上憶良という人が、この七つの草花の種類を、次のようにあげております。

萩の花、尾花、葛花、撫子の花、女郎花また藤袴、朝顔の花

これを秋の七草と呼んで参りました。ただ、この中の尾花を芒といいかえ、朝顔を桔梗におきかえていう場合もあるようですな。また、ふつう萱といえば芒のこと。

ところで秋の七草を、秋のシチグサと読んだ中学生がいた。字で読む限りどうってことはないんですが、耳で秋のシチグサとききますと、ご年配の中には、ご苦労なすった昔のことを、ほろ苦く思い出される方がいらっしゃるかも知れませんですな。

秋のシチグサといえば、単衣とか蚊帳とか、何か生活の匂いというものを感じますが、古代人も、草花の秋の七草を、ただ観賞用としてだけではなく、く

らしの実用面にも利用していたそうですな。例えば染料とか、或いは薬草としても使っていたというわけですね。

『志ん朝の風流入門』（ちくま文庫）より

《解説》映像化しやすい表現で相手の経験に訴える

噺家だけあって、話の流れの良さが特徴的だ。

一つのきっちりした構築物をつくっていく話し方というよりは、**ある話題から次の話題にズレていく、そのズレの楽しみを聞き手に味わわせていく**話し方だ。噺家だけに、そこにはもちろんおかしみがある。

たとえば最初に秋の話があって、その次に野遊びに行って、そしてネオンの夜遊び。「野遊び」と「夜遊び」は、普通、だれもつなげる人などいないが、言葉の上で似ているというだけで持ってきている。夜遊びに比べて、「その点、野遊びには度を越すということがない」と、そもそも対比的ではないものを対比的にとらえる。

▶ ONE POINT
声を届けるということは、いたずらに声のボリュームを上げることではなく、相手の存在を意識して話しかけるということです。

小林秀雄(こばやしひでお)のケース(169ページ)もそうだが、**話の基本は対比である。**何かを主張するために、もう一つの何かを対照材料として、主題を照らし出すようにする。そのとき、何の縁もゆかりもないものを持ってくることはできない。

対比的であれば、「夜遊び」のかわりに、たとえば「山登り」でもいいし、いろいろなものが持ってこられる。この場合は、言葉の上のおかしさを重視して「夜遊び」を持ってきている。「野原」に対して「ネオン街」というイメージしやすいもので対比する。

対比は論理的な話法の基本だが、話を伝えるという点で言うと、**聞き手の頭の中にイメージを湧(わ)かせることができれば成功だ。**「夜遊び」「ネオンの巷」と言ったら、その映像はすぐに頭に浮かぶ。

それで「度を過しますってェといけません」と言われて、聞き手が「まぁ、たしかに……」と思ったところに、「その点、野遊びには度を越すということがない」と持ってくる。

野遊びが度を越さないということは、ほとんど主張としては意味はないのだが、

「ネオン街」があると効いてくる。

ここで、聞き手に2つの点でイメージを湧かせやすい話し方をしている。

一つには、**映像化しやすい表現を使っている**ことだ。

もう一つは**相手の経験に訴えている。**夜遊びをしたことがない小学生に言っても、これは全然通じない。だが、落語を聞くような大人であれば、経験があるので、スーッと通じる。

話をするということは、ある意味で相手の自由を奪い、相手の時間を奪うことである。相手にしゃべらせないからだ。

だから、そんな大それたことでなくてもいいが、聞き手に新しい「意味」、「新たな気づき」が欲しい。

「名もなき花」と言っても、「ただ見た当人が、その名前を知らないだけ」と、「『名もなき』ではなくて『名も知らぬ』というべきだと思うんですがいかがなものでしょうか」と言うと、聞き手に「ほう、ほう」と思わせる。

「野遊びには度を越すということがない」もそうだが、聞き手に「ほう、

▶ ONE POINT

抽象的なものや一般化しづらい複雑なものを説明する際は、「たとえば、こういうことです」と一例を挙げるほうが相手の納得感を得られます。

ほぅ」「へぇー」などと言わせるのは、話のうまい人の特徴だ。

さらに、秋の七草が出てきて、山上憶良の歌を暗唱してみせ、憶良のあげた七草を言ってみせる。これには、暗唱力を示して信用を得るという効果がある。

「この人は何も見ないで、そういうことが言える」と聞き手が感心し、「話す資格があるな」と思ってくれる。紙を見ながら読み上げたのでは、資格がなくなってしまう。**他の人が話をするときには、引用力や暗唱力が非常に重要である。**

できないことを見せることで、聞き手のおトク感が増すのである。

さらに、「ところで」と、「秋の七草を、秋のシチグサと読んだ中学生がいた」と、小ネタを振ってくる。『万葉集』で山上憶良はこう詠んでいます、で終わってしまうと話におもしろみ、オチがない。「シチグサと読んだ」と言って、ここで笑いを誘う。さらに「シチグサ（質草）」の話にズラして、「古代人も、草花の秋の七草を、……例えば染料とか、或いは薬草としても使っていたというわけですね」となると、これはもう論理的には強いつながりはない。

文章で書いてしまえば論理的な整合性はない。しかし、話の中で言葉を重ね合わしていくことで、どんどんつながっていく。

論理的でなくても許される話し方がある。

たとえば、言葉の上でのつながりがある場合だ。これは、あまり慣れない人がやると支離滅裂になってしまう。志ん朝のこの話の場合にはなぜ可能かというと、「ですな」という語尾によって許されるのである。

普通の話し方で、「ですな」は使わない。落語家らしく、「ハイキングなどのようなものですな」「たくさんありますな」などと言っている。

このように、ご隠居のような話し方をされると、聞く側が「まぁ、いいか。大概のことは許そうか」と、許す構えができる。

「ですな」という語尾が、聞き手との関係性を安定させて、少々強引に話をつないでも許されてしまうのだ。

▶ ONE POINT

会話に必要なのは論理の積み重ねだけではありません。会話は論理に感情が加わって、はじめて成立するものなのです。

●**Martin Luther King Jr.**
1929年生まれ、1968年没。牧師。アメリカの公民権運動の指導者。1964年ノーベル平和賞を受賞するが、暗殺でその生涯を閉じる。

私には夢がある

(訳)

今日はあなた方同胞に伝えたいことがある。今現在の困難と不満にもかかわらず、私にはなお夢があることを。それはアメリカン・ドリームに深く根ざした夢なのだ。

私には夢がある。いつの日か、この国が立ち上がり、この国の信条の真の意味を実現するという夢だ。その信条とは「すべての人間は平等であることを自明の真理とする」ということだ。

私には夢がある。いつの日かジョージアの赤色の丘の上で、かつての奴隷の子孫とかつての奴隷所有者の子孫が、同胞として同じテーブルにつくことができるという夢だ。

私には夢がある。いつの日にか、不公正と抑圧の熱がうずまく不毛の地ミシシッピー州でさえ、自由と公正のオアシスに生まれ変わるという夢だ。

私には夢がある。いつの日か私の4人の小さい子ども達が、肌の色ではなく人格の内容で評価される国に暮らすという夢だ。

『からだを揺さぶる英語入門』(角川書店)より

話し上手に学ぶ――③

キング牧師

繰り返されるキーメッセージ

I Have a Dream

I say to you today, my friends, that in spite of the difficulties and frustrations of the moment, I still have a dream. It is a dream deeply rooted in the American dream.

I have a dream that one day this nation will rise up and live out the true meaning of its creed: "We hold these truths to be self-evident, that all men are created equal."

I have a dream that one day on the red hills of Georgia the sons of former slaves and the sons of former slaveowners will be able to sit down together at the table of brotherhood.

I have a dream that one day even the state of Mississippi, a desert state sweltering with the heat of injustice and oppression, will be transformed into an oasis of freedom and justice.

I have a dream that my four little children will one day live in a nation where they will not be judged by the color of their skin but by the content of their character.

(Washington, D. C., August 28, 1963)

《解説》明確で強いメッセージが聴衆の心を打つ

世界的に有名な演説で、英語の教科書にも載っている。これは**リピートが効果を発揮している**話し方だ。

「I have a dream」（私には夢がある）というキーフレーズが歴史に残る名ゼリフになった。「私には夢がある」を繰り返し、**その夢を一つずつ明確にしていく。**

「I have a dream」という言葉を都合4回言っているが、すべて同じ文型になっている。「I have a dream」の次に「that」を使って、「that」以下が「dream」の内容になっている。まず「私には夢がある」と言い切って、「というのはどういう夢か……」という流れになっている。

これを日本語にするときに、「私には、ある日この国が〇〇〇〇〇する夢がある」と訳してしまうと、この演説のうまさが伝わらない。

とりあえず、「私には夢がある」と訳し、いったん「。」で区切る。私はそのように訳した（『からだを揺さぶる英語入門』／角川書店）。長い文章なので、「that」でつないでいるが、聞くほうは区切って聞いている。

人前で話すときには、はっきりしたメッセージを持つことが基本になる。伝えたいことがあるからここに立っているのだ、ということを明確にする必要がある。

強く伝えたいメッセージがある場合には、少々話し方が拙(つたな)くても許される。話がうまくてメッセージがないのと、話は拙いがメッセージがあるのとを比べたら、話は拙くてもメッセージがあるほうがずっとマシだ。

話がうまい・ヘタと、メッセージがある・ないをそれぞれ縦軸、横軸として考えてみるといい。メッセージがあって話し方がうまいのが理想的である。しかし、話がうまくてメッセージがないよりも、ヘタでもメッセージがあるほうがよい。

大切なのは、言いたいことは何か、ということだ。立て板に水のような話し方がいいわけではない。むしろ訥々(とつとつ)とした話し方で話す、あるいは時々詰まることがあっても、そこにメッセージがはっきりとあれば、それを伝えようという気持ちが相手を打つ。

▶ONE POINT

名演説と呼ばれるものは、どのように語ったのかも大きなポイントになります。当人の身体性に裏打ちされて初めて生きた言葉になるのです。

キング牧師の場合は演説自体もうまいが、**メッセージをキーフレーズで反復しながら訴えている。**

「私には夢がある。○○○な夢である。私には夢がある。……」

これを日本語で言うと、ちょっとくどくなる。だが、反復はうまくやれば、そのメッセージを人の心に深く刻むことができる。

さらに、この演説が聞く人に訴えるのは、思いつきで言っていないからだ。歴史に残る演説だけあって、「I have a dream that~. I have a dream that~……」ときれいに文体を整えている。

これは、時間をかけて準備しておいたにちがいない。そのまま読み上げたかどうかは別にして、きっちり練り上げられた原稿がつくられていたのだろう。キーフレーズは練り上げるほうがいいという手本だ。

第3章
深い話ができる人になるトレーニング

1 基本トレーニング――要約力を鍛える

●「話のおもしろさ」をチェックし合う

話す力をつけるためには、**自分の話に「意味」があるか、自分の話は「人に発見や気づきをもたらしているか」をつねにチェックする必要がある。**しかし、実際はそれを自分でチェックするのはなかなか難しい。だれかと組んで互いの話をチェックするのが、もっとも簡単で上達する方法だ。

私の授業では、4人1組になってやってもらうケースが多い。たとえば、3人は横一列に並んで座り、その前で1人が話す。ちょうど、就職試験の面接を受けるのと同様の配置にして、話し手の緊張感が高まるような状況をつくる。

そこで、たとえば、「きみたちの人生の中で、もっとも知性と教養にあふれた話を5分間してほしい」と要求する。

それを4人順番に話してもらう。話がすべて終わると、だれの話がもっとも知性と教養にあふれていたか「せーの」で指さしてもらう。

実際は5分話すのは難しく、もたないことが多いが、その場合には2分半～3分にする。4人全員が話し終えたらグループの組み替えをして、何回もこのトレーニングを行う。

実際に話してみると、ふだんからネタを準備していないと、2分半～3分すら、もたないことに気づく。このトレーニングをはじめる前は、何の準備などしていなくても、5分程度の時間なら、なんとか話せると思っていた学生がほとんどだ。ところが、実際にやってみて、それが勘違いだとわかる。

「自分は話せる」と思っている、そういう勘違いを打ち砕くのが、このトレーニングのねらいの一つである。

いちばん内容のある話、おもしろい話については、3人の票は一致する。

▶ ONE POINT

話し上手とは、自分のことを客観視して話せる人です。痛い思い出話でも客観的な視点で語られたエピソードなら、人は面白く聞いてくれます。

自分が聞く側に回ったときには、人の話がおもしろいかどうかはよくわかるのだ。客観的に評価できるということだ。

こうして、時間を区切って人に話し、評価をされる試練をくぐり抜けると、**話すという行為が準備もなくできることではない**と、はっきりとわかるようになる。

●聞いた話を要約・再生してみる

講演などで私がよくやるのは、**「再生方式」**と名づけている方法だ。たとえば、「私が1時間で話した内容を、2〜3分で要約して隣の人に話してください」と言って、実際にやってもらう。聴衆は、講演を聞きに来て、まさかそんなことをやらされるとは思っていない。

「それでは話を再生してもらいます」と言っても、みんな嘘（うそ）だろうと思って、はじめはきょとんとしている。しかし、実際にやってもらうと、だれもがおもしろがってやりはじめる。

2人1組になって、椅子（いす）を動かして向き合う。固定式の椅子ならお互いに身体の向きだけ変えて向き合うようにする。

こうして1人がもう1人に話をする。3分といっても、たいていの人はすぐに言うことがなくなってしまう。なんとかもつのは1分半から2分までだ。1分半ならば、まだ内容はあるが、2分で限界、そして3分になるともう話す内容がないか、話していても中身がうすくなってしまっている。

こうして話してもらうと、**3分が大きなハードル**なのがわかる。次は5分だ。「5分話してください」と言うと、最初からみんな「それはできません」と言う。しかし、私は講演を1時間以上しているのだから、その内容を5分間ぐらい話すことができていいはずである。それができないのだ。

1分半程度はだれでも話せるが、同じ1分半を話すのでも、1時間の話を要約するより、5〜10分の話を要約するほうがじつは簡単だ。中心テーマがはっきりわかり、内容が頭に残っているからだ。

時間が長くなるほど、聞き手は話を聞き流してしまう傾向がある。**時間が長いと、話のポイントが曖昧（あいまい）になってしまう**のだ。だからこそ、話し手

▶ ONE POINT

アウトプットしなければならないとなると、必然的に真剣になる。要約しなければいけないミッションがあると、インプットが濃くなります。

は自分が話したいポイント（命題）を繰り返すことが必要になる。

◉自分の経験とからめて話を聞く

話の要約・再生トレーニングの次の段階では、「1時間の私の話を再生して、それを自分の話であるかのように話し、必ず1つ自分のエピソードを入れて話してください」と注文する。

みんな再生するという作業で頭がいっぱいになっている。「そこにエピソードを1つからめてください」というと、「えーっ、全然できない」という人と、「あぁ、そのほうがむしろ話しやすい」という人がいる。それは、話の聞き方が大きく違っているからだ。

「それなら、自分にもこういう経験がある」と、自分の経験をからめながら話を聞いている人は話し上手になる。今度は自分が話すときに、その「ある、ある」のほうに基盤を置いて話せば、自分のスタイルで話せるので、聞いた話を再生するにも勢いが出る。

「ある、ある」と、聞きながら、あるいは読みながら、自分のエピソードを頭の中で整理する。それを軸にして、話を再生する練習をする。それが「**再生＋エピソード方式**」である。

話すという行為は、ほとんどは再生である。再生しながら、1つか2つ自分のエピソードをその文脈にからめて話す。すると、その話が自分のものになる。しかも、「意味」がきちんと再生されたものの中に含まれている。

意味のある話を、自分の頭だけで捻出しろといっても、なかなかできるものではない。じつは話のおもしろい人ほど、たくさん本を読んでいる。本から仕入れた素材を使って、再生しているのだ。

本などから得た知識の再生を基盤にして、そこに自分の経験を織りまぜて話すと、その人自身の話になる。

その作業のためには、「**理解力＋エピソード力**」が必要だ。エピソードを加える力は、本を読んで自分がおもしろいところに緑（おもしろい）の線を引くのと同じ感覚だ。自分のあの経験はこの話のここにつながるという

▶ ONE POINT

他人事ではなく、自分の話としてする。自分自身の経験を１つ入れ込むことで、単なる人の話の引き写しではなく、自分の話になっていきます。

ように、ひとまとまりにしておくと、一つのエピソードの「島」になる。

そのように意識して、本や映画やテレビなどの内容を要約・再生してみるとよい。話す力をつけるための効果的なトレーニングとなる。そこに自分のエピソードを1つ加えれば、話としてまとまる。読んだばかりの本や見たばかりの映画について、身近な人にすぐに話してみるといい。

読んだり、見たり、聞いたりしたことを時間をおかずに再生すると、記憶に残る。それが、自分が話すときのネタとなり、話のパッケージが1つできる。そうやって、自分の頭の中に「ネタの島」をどんどん増やしていく。

◉上達の秘訣は「読むこと、書くこと」

話す内容の「意味の含有率」を高めるいちばんいい方法は、「**書き言葉**」**を訓練する**ことだ。つまり、読書すること、文章を数多く書くことだ。

書き言葉を訓練したことのある人の話し方と、ない人の話し方では、はっきりと違いが出る。

まず語彙が違う。

書き言葉の語彙と話し言葉の語彙には大きな差がある。話し言葉の語彙は言葉全体の中の氷山の一角にすぎない。書き言葉の語彙は、『広辞苑』などの辞書を見ればわかるとおり、ふだん使わない言葉が膨大にある。

ところが、日常生活で必要な言葉の数は、せいぜい500から1000程度だ。したがって、話し言葉だけで話を構成してしまうと語彙が少なくなる。語彙の少なさに比例して、意味の含有率も低くなる。

物事を表現するにあたって、語彙が豊富かどうかは決定的な要素である。語彙を増やすためには書き言葉に触れる必要がある。つまり、読書が絶対に必要なのだ。

ふだんの読書量が多ければ、自然に語彙も豊富になる。読書量が豊富かどうかが、話すときの語彙の数に影響を与える。ふつうに話しているときは、別に読書という活動そのものが影響を与えているとは思わないだろう。

しかし、それは決定的で、「よくこんなに間延びした話で恥ずかしくない

▶ ONE POINT

いい言葉を聞いたり読んだりしたら、単に「いいことを言っているな」で終わらず、どうしてこの言葉が自分の琴線に触れたのかを考えよう。

な」と思うような人は、だいたい読書量が足りない。

語彙が豊富かどうかは、頭の良い悪い以前の問題だ。語彙に意識が向かないの
は、自分の話の「意味の含有率」に対する感覚自体がまったくないといっていい。
読書と同時に必要なのが、書く訓練である。**書く作業をすると、考えを深める
ことができる。**

今は手軽にブログなどで文章を書き、多くの人に読んでもらうことができる。
自分が読んだ本などに関して、自分の経験を交えて、ひとまとまりの話に仕上げ
てみる。そこにおもしろいタイトルをつけてみる。そういう練習をしてみるとよ
い。

●録音して文字に起こす

自分の話に意味がどのくらい含まれているのかは、録音して文字に起こしてみ
るとわかる。

話には、無駄や繰り返しがつきものだ。話しているときは、それがある程度は

許されるし、そこに話のおもしろさもある。ある程度の重複は仕方ない。

それより問題は「意味の含有率」である。

たとえば、私は雑誌などで対談をするが、対談テープを文字に起こしたとき、ほとんど直さず記事になる人と、たくさん手を入れなくては記事にならない人にはっきりと分かれる。

手を入れなくてはならないのは、そのままでは何を言おうとしているのかわからないからだ。つまり、意味の含有量が少ないのである。そういう人は、人前で話し慣れていないということもあるが、文章も書き慣れていないことが多い。

話す力の基本は、**自分の話に意味があるかどうかをつねに自己チェックしているかどうか**にかかっている。その自己チェックの一つの方法として、自分の話を録音して文字に起こしてみるのは、とても役立つはずだ。

▶ ONE POINT

「書き言葉」で話せるとは、話す文章の始まりと終わりがきちっと対応しているということです。脈絡のない話は相手に苦痛を与えます。

●抽象的なことを「具体例」で説明する

抽象的なことを自分の言葉で言い換える練習をするのも、「話す力」のトレーニングになる。

方法の一つに、**入試の国語問題の活用**がある。

私は以前、『「東大国語」入試問題で鍛える！　齋藤孝の読むチカラ』(宝島社)という本を出したことがある。東大の国語問題は、国語力をつける上で非常に良問だったのだ。

たとえば、表現がわかりにくい文章に傍線が引いてあって、「自分の言葉でわかりやすく説明しなさい」という問題が出ていた。「自分の言葉で」というのがミソで、そのためにはきちんと理解し、さらには自分の体験を踏まえて自分の語彙で説明しなくてはならない。

抽象的、難解な言葉を自分の言葉で表現するには、具体例を挙げる必要がある。

そのためには、頭の中に具体例のネタがたくさんなければならない。記憶の生け簀（す）にいろいろな魚（具体例）がいて、そこから網ですくって、目当ての魚を取り出すというイメージだ。つまり、一度は自分の頭の中をくぐらせてはじめて、きちんと自分の言葉で説明することができるのである。

自分の言葉に咀嚼（そしゃく）して説明するのは、人に通じる話をするための訓練になる。

ある抽象的な表現について、「これはどういうことか」を子どもに説明しなければならないとする。子どもでもわかる説明ができれば、その人はきちんと理解できていて、話もうまいということになる。

実際の練習としては、抽象度の高い表現を、具体例を挙げて説明する練習がいい。現代国語のテキストや高校入試・大学入試の中から、そのような問題を選んで、2人で読んでみる。そこで、たとえば傍線部の意味についての模範解答をつくるのではなく、全体をわかりやすく具体的に言うと、どういうことなのか、話し合ってみるのだ。

そうやって話してみて、お互いにチェックし合う。**難解な文章にもかか**

▶ONE POINT

記憶するためには、話すのがいちばん。基本情報を組み合わせ、1分程度の話に再構成することが、本質的な部分を定着させるのに有効です。

わらず、相手の説明を聞くと、非常によくわかるというときには、相手の説明がうまいということになる。

なお、最近の東大の問題ではそれをやめてしまい、単に「どういうことか説明せよ」の一点張りになってしまった。それでは、ほとんどの受験生は、問題文の中からそれを説明するような部分を引っ張ってきて解答する。その答えを見るだけでは、彼らがきちんと理解しているかどうかはわからない。

なぜやめたか。主観的なことを書いてしまう受験生があまりに増えて、とんちんかんな答えが多くなって、採点のしようがなくなってしまったからではないかと想像している。

2 応用トレーニング——コメント力を鍛える

●求められているのは「整理された切れ味のいい発言」

会議や打ち合わせなどで、比較的少人数の中で話すこともよくある。

そのときに、**行き当たりばったりで話す人と、メモをつくりながら、その中から取捨選択して話す人とでは、話の密度が大きく変わる。**

報道番組や情報番組のコメンテーターを20年以上やらせてもらっているが、私は1コメント、せいぜい30秒程度におさえている。コメントを求められる回数が5〜6回とすると、トータルでも3分程度しか話していない。

30秒程度話すというと、行き当たりばったりでもよさそうだが、そうはいかない。話が長くなるのを避けようとすると、話す前に自分で話してお

▶ONE POINT

一文をなるべく短く句点「。」で区切るよう意識すること。「ええっと〜」「あの〜」といったノイズを排除することです。

きたいことを絞っておかなければならない。

私の場合は、番組中にＶＴＲを見ながら一つの事柄について、３つぐらいのコメントを用意していた。**その中でこれだなというものをまず話すようにしていく。**後の２つは、たいてい捨てることになる。

なぜ３つのコメントを用意するるか。毎回コメンテーターは２人出るので、自分の前に発言する人が、私が考えたコメントと同じことを言ってしまうこともある。先に言われてしまったら、それ以外のことを言わなければならない。１つしか用意していないと、「今、○○さんが言われたことと同じなんですけども……」ということになる。それでは、コメントする意味がない。

基本的に、用意の問題だ。用意がきちんとしてあれば、急に発言を振られてもあわてずにすむ。

いつも３つのコメントを用意している人と、１つしか用意していない人、何も用意していない人となったら、自ずと結果は目に見えている。

用意していても求められないこともある。最初は「えーっ、来ないのか」とちょっとガックリしたこともあるが、そんなことはよくあることだ。プロの料理人であれば、今日はせっかくこの食材を用意したのに客が注文しなかった、などということは、よくあるだろう。

なかには人の話を遮（さえぎ）って、自分の話したいことを話そうとする人もいる。それはそれで活気が出ていい場合もある。だが、他の人がまだ話している場合、あるいは次のテーマに移ろうとしているのに、割って入ったりすると、見る人には不快に映る。

話し出すタイミングがある。**周りの人と声がかち合うようではダメだ。**自分が言った瞬間は、周りの人の発言がもう止まっているというタイミングで、サッと入れるかどうか。その間で入って、なおかつ自分の話がきちんと止まるか。

問題は、話ができないよりは、話がとりとめなくなる場合だ。とりとめなく話すことになるのは、オチがないからだ。

何をコメントするかメモをつくって、それだけ言ったらとりあえず引き

▶ONE POINT

コメントは、課題となっている出来事に対して自分の認識を述べ、その出来事に対する自分の価値判断や今後の態度を表明することが大切です。

下がる。ボクシングでいえば、ヒットアンドアウェイのようなものだ。

　このようなコメント力が、何人かで話す場合に力を発揮する。

●「3分の1の法則」で発言する

　会議など、数人から十数人でのコミュニケーションの場では、何か1つ思いつくと、すぐにその場で発言してしまう人がほとんどだ。しかし、それはあまりよくない。

　まずは人の話を聞き、話したいことが頭に浮かんだらメモをする。メモ用紙などが手近にない場合でも、3つくらいの思いつきなら覚えられるだろう。

　とりあえず発言したいことが1つできても、すぐには言わない。もう1つ、もう1つと、**発言したいことが3つ溜まったら、話の流れの中で「これは主張したい」ということを1つだけ選んで言う。**これが「3分の1の法則」だ。

　1つしか発言したいことがないのに、「1分の1」で話してしまうとたいていは内容がない。「2分の1」であればまだましだが、それでも内容が薄い。話の流れのポイントを外しがちだ。3つあれば、話の流れからその中でどれがいちばん重要かがわかる。それを発言すればいい。

たいていの人は、思いついたらすぐに発言するから「1分の1」になっている。それは反射的な発言が多い。言いたいから言うというのは、子どもの発言と同じだ。言いたいことを、3分の1、2分の1と増やしていく。そこで**大事なことは、これを言ってどういう意味があるか、どういう効果があるかという視点だ。**そこを考えなくては発言する意味がない。

3つのアイディアを出せば、その中でいいものが出てくるものだ。ふだんから意識して「3分の1の法則」で話すと、かなり意味のある発言ができるようになる。

●会議にはネタを持って臨む

ランチタイムに喫茶店で話しているときは、別にゴールなどなくていい。しかし、会議となれば、何かあることについて決定をしたいのだから、決

▶ONE POINT

会議で肝心なのは、内容を一般論、抽象論にしないこと。会議の目的は具体案と結論を出すこと。出席者はこの2つを肝に銘じる必要があります。

定するために必要な情報、もしくは決定のためのアイディアを出せ、ということだ。

ところが、いっこうにそういう方向に向かわない会議がある。結局、何を決めたのかわからないまま散会する。そういう会議では、たいていは社長や上司がしゃべりすぎている。会議の場合、1人だけがべらべらしゃべっても、まず実りのあるものにはならない。

せっかく多数の人たちを集めてやるのだから、アイディアがたくさん出なければ意味がない。ところが、そういう意識を持ってやっている会議があまりにも少ないのだ。

まず、会議では前置きや状況説明はあまりいらない。言っても意味がないことを発言する人が多いから会議が長引く。

先ほど述べたコメントの場合のように、**みんなが短時間で意味のあることを1つ言って引くような形でやれば、時間短縮につながるし、いい結論が出やすい。**

短時間に意味のあることを言う、それぞれが15秒スピーチを繰り返すと考えればいいのだ。

発言するときは、会議を「リング」だととらえなくてはいけない。そこにノーガードで出ていけば、あっという間に攻撃されてしまう。だから、出る前にはきちんとガードしていかなくてはならない。

ガードするとは、会議に出るに当たって、ネタを用意するということだ。会議の出席者には、「ネタもないのに出てくるな」という厳しい要求をすべきだ。

会議の出席者には、テーマに沿ったアイディアを持ってくることを課す。1人もしくは2人1組になって、言うべき意味のあることを仕込んでおいて出席することを習慣づけると、会議は格段にレベルアップするはずだ。

アイディア出しを1人でやるときには、白い紙と3色ボールペンを用意して、頭の中から徹底的にネタ出しをしてみる。その中からセレクトして、「あぁ、これだったら言っても意味があるな」と会議で出していけばいい。

▶ONE POINT
会議の能率をあげるには、会議の時間内は上下関係をなしにして、ゴールを意識した発言をすること。否定的な言葉を使わないことも必要です。

◉3分間の「沈黙」を活用する

会議などでしゃべりすぎる人は、心理的には話が行き詰まったときの沈黙を恐れている場合が多い。私自身も沈黙は嫌いだが、それも使いようだ。

1人が長い時間しゃべり続けて、みんなの意識が弛緩してしまったり、アイディアが出ずに煮詰まった場合には、休憩をとったほうがいい。ただ、単に休むというものではない。その**休憩時間を有効に使う**のだ。

授業のとき、私は「今から2分間とるので、各人がその間にこの問題について何か打開策を考えること。2分後に発表してもらうから」と言って、2分間の沈黙時間をとる。

すると、みんなその課題を必死に考えなくてはならない。自分自身の脳みそへ問いかける作業を2分間する。発言したときに「2分間考えて、それかよ」と言われてしまうこともイヤだし、みんな真面目に考える。

このように**2～3分間でも仕込みの時間を入れると、次の話のレベルが上がる。**

佐々木倫子（ささきのりこ）さんの『Heaven?』という漫画がある。そこに、ある漫画家が登場する。その漫画家は、レストランなどに着飾って行く。しかし、ふだんはホームレスのように公園でうずくまっている。

そこで何をしているのかというと、漫画家なのでネタを考えている。次のコマの展開が思いつかないときに、編集者に「じゃあ、行くわよ。せーの」と言って、2人で3分間黙る。

3分たって「どうだった？」とお互いに聞く。「出ません」となると、「じゃあ、もう3分いくわよ」とアイディア出しをしていく。

これは、とてもうまい時間の使い方だ。だらだらと話すのではなく、互いに3分なら3分という区切りで自分自身のベストを尽くす。そしてアイディアが出てきたら、それを吟味（ぎんみ）し合えばいい。

ただし、沈黙して自分の中からアイディアを掘り起こすのはなかなか難しい。それよりも、むしろ**互いに話して触発し合うほうがアイディアは生まれやすい。**私の場合には、ある課題を出して、2人1組になってもらい、

▶ ONE POINT

課題が明確にあり、頭の中は高速回転しているが、その分だけ沈黙が深くなる。こうした緊張感のある沈黙は、「生産的な沈黙」です。

3分間話をさせる。その後で、それぞれの組のアイディアを言ってもらう。

1人ではなかなかいいアイディアが出なくても、話していると思いがけないところからいい発想が出ることがある。それを繰り返すと、2人1組のパワーがはっきりと出てくる。

●1分以内で言い切る

講演などをすると、質問時間が設けられていることが多い。

その場合、質問者の発言はたとえば2分と決められていたりするのだが、2分で鐘(かね)を鳴らされても、止まらずに話し続ける人が多い。司会者が「ルールをお守りください」と言っても、ほとんどの人が時間をオーバーしてしまう。

熱心だからということもあるが、その本当の理由は、話す人がほとんど前置きから入ろうとするからだ。外堀埋め方式のような感じで話をはじめ、結局質問に至る前に2分が来てしまう。

質問を多くしすぎる人も多い。2分と言われているのに、3つも4つも聞こうとする人もいる。せいぜい、1つか2つに絞っておくべきだ。

そして、もっとも言いたいことをはじめに言い切ってしまうのが大切だ。**「質問はこれとこれです」とはじめに言ってしまえば、聞くほうも本人も安心できる。**さらに時間があれば、なぜそういう質問をしたのか、「私はこういう仕事をしていて、だから……という質問をしました」と背景を説明すればいい。そうすれば、途中で時間が来て鐘をカーンと鳴らされても、**とりあえず質問は提示でき、「ということでお願いします」と話を切れる。**

肝心なことから押さえていけば、あとは余力になる。こういう場合、最後にいい話を持ってこようというスタイルは絶対にやめたほうがいい。

ところが、「私の周りではこういう人がいて、こういうことがあって、じつは……」と、細かい話からはじめてしまう人が多い。それでは、「それはわかるけれど、結局なんなの……」というように、意見なのか質問なのかさえわからない。

時間を限っている場合は、まだいい。時間のコントロールさえしない場

▶ ONE POINT
蛇口が閉まらなくなったように延々と話し続ける人もいますが、一方的に話していれば相手はうんざりします。話は簡潔にまとめるべきです。

合もある。すると、とめどなくしゃべる人が出てしまい、だれも止められず、結局ほんの数人の質問しか受け付けられないということになってしまう。

制限時間を決められていない場合でも、自分で1~3分と時間を制限して、はじめにいちばん言いたいことを言い切ってしまう。どのような場でも、言いたいことをはじめに言う訓練をしておくことが「話す力」を身につける上での重要なポイントだ。

さらに言えば、**1分以内、秒単位の時間感覚を身につける**ことだ。

テレビのCMを、私たちは何気なく見ている。実際、私がCMに出て感じたのは、15秒が長い時間だということだ。テレビでは、5秒あればかなり話せる。アナウンサーなどは、番組が終わるまで残り5秒と出ても、そこで一ネタ話して、一つの情報を伝えることができる。

5~10秒が時間としてはけっして短い時間ではないと実感できれば、2分あれば、かなりの内容が盛りこめることがわかるはずだ。

そのためには、ストップウォッチを片手に、10秒でどの程度のことが話せるか、

１分でどの程度のことが話せるか練習をしてみるのもいい。

◉「1人の時間」「2人の時間」「全体の時間」と区切る

スピーチの練習をするには、「１人の時間」「２人の時間」「全体の時間」と区切って練習するのも一つの方法だ。

「1人の時間」とは、1人で考えてネタをしっかりつくる時間である。

次に、スピーチをする前に、だれかとその話題について話す。そこで修正を加える。次の段階で、はじめて多数の前で実際に話すわけだ。

よく１人だけでスピーチの練習をする人がいる。たとえば結婚式のスピーチなど、一生懸命に書いて、それを１人で読んで覚えるという練習をする。

人前で話し慣れていない人が、予行演習なしで大勢の前で話すのは怖い。だから、練習するのだが、１人で練習するだけではどうしても硬いスピーチになってしまう。

▶ ONE POINT

15秒で内容のある話をしてさっと引く。集団面接でもディスカッション形式の面接でも、この切れ味に惹かれない面接官はいません。

硬さをとるには、スピーチの前に「2人の（3人でもいい）時間」を持つことだ。

家族でも友人でもいい、一度話してみる。そこで、相手の反応を見たり、意見を聞いたりして修正する。事前に聞き手とのコミュニケーションを体験することで、スピーチはずいぶん変わる。

うまいスピーチは、見応えのある一人芝居のようなもので、そこには聞き手との無言のやりとりがある。コミュニケーションがとれていると感じると、人は耳を傾ける。

（話し上手に学ぶ）――④

小林秀雄

透徹（とうてつ）した高い知性

●こばやし・ひでお
1902年生まれ、1983年没。文芸評論家。日本における文芸批評を確立。文芸以外の批評も評価が高く、日本の批評のスタイルに大きな影響を与える。

▼講演　文学の雑感

今歴史というものは、ものを調べることになってしまったんだね。いけないことです。そうじゃないんです。歴史は思い出すことなんです。

歴史は「いにしえの手ぶり口ぶり」を自分で見たり聞いたりするような、そういう経験を言うんです、歴史を知るということは。織田信長（おだのぶなが）は天正（てんしょう）10年に本能寺（ほんのうじ）で自害したということを知ることじゃないんです。そんなものは歴史じゃないんです。そんなものは歴史の知識なんです。それを博学というんです。

それは学問です。そうじゃないんだ。歴史は諸君の経験なんだ。学問をして、そういう経験まで達することを目的としたんです、宣長（のりなが）は。だから宣長は本当の歴史家なんです。

宣長ほど古いところをよく調べた人はありませんよ。綿密に。だれもかないはしないんです。それで調べるだけじゃないんです。調べて、いにしえに関する知識を得たんじゃないんです。いにしえの口ぶり手ぶりが、まざまざと今の目に見えるようになった。そこまで行った人なんです。これを本当に歴史を知るというんです。

だから歴史を知るということは、みんな現在のことですよ。現在の諸君のことですよ。古いものはもう今は無いんですから。全然無いんですから。実在しないんですから。不思議なことです。諸君がそれを思い出さなきゃならない。諸君がそれを思い出せば、諸君の心の中にそれがよみがえってくるということは、これは諸君の心の状態を言うんでしょう？　諸君の心の状態は現在でしょう。

それで歴史というものには、たとえば諸君は今岩波文庫というものを持っているでしょう。これは現在の物でしょう。現在の岩波文庫、現在あるものから諸君が思い出して、口ぶり手ぶりが諸君の心の中によみがえってくれば、これは諸君の現在でしょう。だから歴史というものをやるのは、みんな諸君の今の心のことなんですよ。

こんな簡単なことを、今の歴史家はみんな忘れているんです。クローチェという人が、歴史はみんな現代史であると言ったのは、これは本当のことなんです。どんな歴史も現代史なんです。なぜかというと、歴史はみんな諸君の現在の心の中に生きなければ歴史ではないからなんです。

だから歴史というものはみんな岩波文庫の中にあるんじゃないんですよ。そういう史料の中にあるんじゃないんです。諸君の心の中にあるから、歴史をよく知るということは、諸君が自分自身をよく知るということとちっとも違わないんです。

じゃあ諸君は子どもの時は諸君の歴史じゃないか。史料によって君は自分の幼年時を調べてみたまえ。俺という子どもは十の時にこんなことを言って、こんなことを書いていると。それは諸君にとって史料でしょう。その時諸君は歴史家になるでしょう。その時に諸君は、十の時の自分の道から自己を知るでしょう。そうじゃないですか。

だから歴史というものは、自己を知るためのひとつの手段なんですよ。歴史という学問は。

それからもうひとつ。歴史というものは決して自然ではないんです。常に混同するんです。僕らは肉体的にはずいぶん自然を背負っていますよね。生物としてね。諸君は眠くなった時に寝る。物を食いたい時に食う。そんなものは歴史の主題にはならないですよ。織田信長が何日にどれくらい寝たかなんていうことを調べているヤツはいないでしょう。つまりそれは歴史の主題にはならないんですよ。それは自然のことだからです。だから自然のできごとというものは、決して歴史の中には現れないんです。本当の歴史家は、研究そのものは常に人間の思想なんです。人間の精神なんです。

だから人間の精神であるから、言葉と離すことはできないんです。だから宣長は、事と心と言ですね。あの「事」は「言」なんです。「事」はまた「言葉」であると。それは「心」でもあると。この3つは相かなうものであると。これは『古事記伝』に書いてある。歴史というものはそういうものなんだ。決して出来事の連続じゃありません。出来事というものを調べるのは、これは科学です。

だけど歴史家は、出来事を人間がどういうふうに経験したか、どういうふうな意味合いを、その出来事をどういうふうに解釈したかという、そういう人間の精神なり思想なりを扱うんです。だから歴史過程というものは、いつでも精神の過程なんです。人間の考えの過程なんです。だからそれは言葉と常に繋（つな）がっている。言葉のないところに歴史は無いんです。これもよくはっきり考えておかなきゃいけないんです。

その頃、それを本当に徹底して考えたのは宣長です。だから宣長は、『古事記』というのはあれは神話ですわね。神様がたくさん出てきます。ああいうふうに古人は考えたんです。あれは古人の思想なんです。これが「古意」なんです。古い時代の人間の心なんです。これを信じたんです。「まこと」というものはそれしか無いんです。

それが迷信だとか、そんなことは意味がないことです。もしもあれが迷信であったって、今はどういう迷信を持っているか。これまた違った迷信を持っていますよ。ああいうコンディションに生きたんです。神を信じ、神を祭るそういうコンディションに人間が生活をしていた、そのことが歴史でしょう。それが迷信であったか、迷信でなかったか、そんなこと知りません。また関与しないんです。だから宣長は『古事記』のそのままを信じたんです。そのままが「まこと」ですからね。そのままを信じた。

もう昔からそうですよ。そういうことをそのまま信じるなんてことを徹底した人はありはしません。

水戸光圀（みとみつくに）だって『大日本史』を書いたのは『古事記伝』よりずっと前です。光圀は困った。日本の神世に困っちゃったんですよ。だから『大日本史』には神世は出てこないんです。神武天皇から出てくるでしょう。あとは歴史じゃないんです。新井白石もそうでしょう。あんなおかしなことはない。だから「神は人なり」って言ったでしょう。「神は人なり」なんていう言葉が大変有名なのは、新井白石の言葉、これは『古史通』という本のいちばん先に出てくる言葉です。神なんてあれはみんな嘘なんだ。あれはみんな人間の尊称なんであると。偉い人を呼ぶ時に「神」と言ったんです。だから「神」は「上」です。

こういうふうに言葉を、昔の人の言った言葉はみんなでたらめだから、言葉にあれがないから、その言葉さえ気を付けていれば、みんな『古事記』というものはどこにも嘘は書いていないんだと。そのまま読むからいけないんだと。国を神様が産んだと。産むわけがないじゃないかと。あれは国を治めたという意味だと。それを昔の人は「産む」と書いたんだと。比喩的に言ったんだと。こんなことを、『古史通』はみんなそうです。

そういうことは非常に評判が良いでしょう、今は。新井白石は実証主義者の、非常に歴史というものをはっきりと見た偉い人だと思うと。宣長はそうじゃないですからね。

そんなバカなことはないんだと。昔の人は「神」というものはやっぱり「神」なんだと。大蛇を退治したと、そう書いてあるじゃないか。そのまま受け取ると。そのまま受け取る方が歴史家として正道であるというのをはっきり言ったのは宣長なんです。それに違いないんです。だから今日の人は、あれは文学だというんですよ。でも歴史としては信じられないと。

そうじゃないんです。歴史の根底には文学があるんです。宣長はそう考えたんです。歴史の根底には、今の科学者が考えている事実なんかはありはしないんです。そんなものはありはしません。事実は自然にしかありません。歴史は人間の心なんです。この心がどういうことを考えるかは知らない。わかりません。何を信じるかはわかりません。

今は科学を信じています。これはやっぱり人間の心です。これほど深く科学を信じるということは今に間違いだということが、やっとわかるようになる時が来るでしょう。もう偉い人はそう言っているんだ。だけど一般の人はまだまだこの迷路から覚めはしないんです。

そうじゃないんです。だからもっと歴史眼を働かせればいいんです。現代を知ることは己を知ることなんです。己を、現代のこういう迷信から解放することなんです。だから本当の歴史を知るということは、人間が本当に自由になるということですよ。科学のお世話になんかならんです、僕は。僕には歴史眼というものがあるんです。

だって世の中、本当に僕にわかりきったことというのは、たとえば歴史のひとつのできごとって、いつでも個性的なものでしょう?

諸君は個性が、どんな人だってみんな違うじゃないか。みんな違うじゃないか。つまりそれが歴史の材料ですよ。だけど生物学者にとっては、諸君の個性なんてないじゃないか。生物学者はいつでも科学というものを元として諸君を観察するからね。諸君の名前なんかを考えた日には、生物学は一歩だって進みはせんじゃないか。諸君はみんな種です。人類という種ですよ。

みんな同じことをやっていると、こう言うんですよ。それは抽象的なことです。そうしないと科学は発達しないから。だから科学というものは個性というものをどうすることもできないでしょう。だからそれを略すでしょうが。だけど僕らの本当の経験というのは、いつでも個性に密着しているじゃないですか。つまりこれは歴史ですよ。だから歴史の方が元ですよ。

『小林秀雄講演　文学の雑感』（新潮ＣＤ講演）より

《解説》断言口調で多面的に定義する

小林秀雄はテープに残された講演などを聞くと、声が甲高い。調子が落語家風で、文章で読む印象とはだいぶ違う。ちょっと酔っぱらった、テンションの高いオヤジという感じだ。私はときどき彼の講演テープを聞いてみるが、たいへん心地よく、知的な落語を聞いているような雰囲気を感じる。

「今歴史というものは、ものを調べることになってしまったんだね。いけないことです。そうじゃないんです。歴史は思い出すことなんです」というように、講演を起こした文章を見ると説教調になっていて、教えこんでいるような感じだが、声のトーンが甲高くてテンポがいいので、文字から受ける印象よりも高圧的ではない。

ただし、自分がしゃべる内容に対して確信を持っていることが、言葉の端々(はしばし)から伝わってくる。それは、**フレーズのほとんどが命題になっている**ことからもわかる。「歴史は思い出すことなんです」「歴史は諸君の経験なんだ」というように、「○○は××である」という命題を提示している。これはかなり透徹した知性のレベルの高い話し方だ。

この講演での小林秀雄の中心命題は「歴史は思い出すことである」だ。「思い出す」がまずキーワードになって、後ろのほうでは「それからもうひとつ。歴史というものは決して自然ではないんです」とくる。さらに「自然ではない」に対比して「精神の過程なんです。人間の考えの過程なんです」となる。

歴史に対して「歴史は……である」という**定義を何種類か用意すること**で、非常に「意味の含有率」が高い話し方をしている。

▶ ONE POINT

Bという結論を言いたいときに、Aをその前に持ってきて「Aではなくて、Bです」と言うと、曖昧さを排除した、くっきりした物言いになります。

実際、定義一つだけで話していくと、一つの見方で終わってしまう。言葉を少しずつずらして置き換えていくことによって、次々に表現を変えて定義できる。このように複数の定義ができると、そのテーマについて完全にわかっているという証拠にもなる。

「歴史は諸君の経験なんだ」
「歴史というものをやるのは、みんな諸君の今の心のことなんですよ」
「歴史というものは、自己を知るためのひとつの手段なんですよ」
「言葉のないところに歴史は無いんです」
「歴史の根底には文学があるんです」
「本当の歴史を知るということは、人間が本当に自由になるということですよ」

こういう**キーフレーズをたくさん用意できるところが、魅力的な話し方の特徴**で、聞いているほうは、ついメモしたくなる。

さらに、「歴史過程というものは、いつでも精神の過程なんです」の「いつでも」、「歴史というものは決して自然ではないんです」の「決して」と、かなり強調した断言口調で語っている。

このように、**思い切った言い切り方をして、なおかつ、その言い切りが一面的にならないように、多面的な定義を用意する。**たとえば、「それ（歴史）は言葉と常に繋がっている」と言われると、ちょっと不思議な気がして、もう少し話を聞いてみたいという気にさせる。

「言葉のないところに歴史は無いんです」などは、まさに命題として色紙に書きたくなってしまう。

小林秀雄の場合は、「認識」を非常に重視しているが、オリジナルな命題の立て方をして、それを話し口調として柔らかい雰囲気で話すところに特徴がある。

▶ONE POINT

コメントを求められたら、ひと言で「なるほど」と思わせるような、見方が鋭い、本質をついた言葉を発する必要があります。

話し上手に学ぶ――⑤

宮崎駿　柔らかく厳しく迫る

●みやざき・はやお
1941年生まれ。アニメ作家。数々の名作アニメを製作し、アカデミー賞、ベネチア国際映画祭栄誉金獅子賞などを受賞。

▼講演　一本の映画ができるまで

僕はおしゃべり好きで、何時間でも苦になりませんが、話すのは下手で、事によると、十五分で終わってしまうこともあるので、皆さんには質問を用意していただいて、どんなことでも正直にお答えするというやり方で、話を進めて行きましょう。

アニメーションと言いましても、僕らにとっては映画なんですが、皆さんのお顔を拝見すると、特にアニメーションについて詳しくなりたいと思っている方々ばかりではないようです。僕は〝食わず嫌い〟を認める人間なので、皆さんにアニメーションとは何たるものかをわかってもらいたいとは、特に思ってはおりません。ゴルフのことを僕がわかりたいと思わないのと同じで、それはだれもがもっている権利だと思うからです。

ですから長い間、基本的には子どもたちを相手にして、アニメーションという映画をつくって商売をして来た人間として、そういう現場に三十年以上もいて、そこで何を考えて来たかということをお話ししたいと思います。

映画をつくるとき、僕はだいたいの場合、シナリオは書かずに絵コンテという形で絵から入ってしまうんですが、頭の中でこういうストーリーで、ああなって、こうなって、そうやって終わるんだというふうに、いちおうは言葉で考えるわけです。言葉で考えて映画をつくるうちに、言葉で考えた部分は確実に役に立たなくなって来るんです。

と言いますのは、これは僕が考えたことじゃなくて、人間の脳みそを研究している人が言っていることなんですけれど、人間の考えることには、言葉で表現できる部分と、表現されない領域があって、言葉で表現されるものは、ほんのわずかでしかないんだそうです。自分では何だかわからないけれど、言葉で表現できないものが、人間の脳の大部分――この〝大部分〟というところは、僕の翻訳なんですが――を占めているのだそうです。

いちおうこの映画は、こういう方向で、主人公の女の子が町に入って来て、そこで修業して、いろいろあった揚げ句、元気でやって行けるようになったなんて話を考えると、すぐにもできそうな感じがするんですが、いざ描き進めてみると、言葉で考えたものは行き詰まってしまいます。

これは、ダメだ――どうしてダメなのかよくわからないんですが、理屈で考えたものはツマらないことがわかって来るんです。でも、もうスタッフがいっせいに絵を描き始めていますから、途中でダメだなんて言えませんので、追い詰められて、必死で考えます。考えているうちに、意識して考えているときには思いつかなかったことが、突然脳みその奥の方から浮き上がって来るんです。

僕はこれを〝脳みその蓋（ふた）を開ける〟って言うんですが。でも、うんと追い詰められないと蓋が開かないんです。

ですからアイデアはどんなときに考えるんですかってよく訊かれますが、アイデアなんかじゃありません。本当に追い詰められると、実際には考えていたのかもしれないけれども、言葉では表現のしようもなかったあるものが、ふっと出て来るんです。それが出て来ると、初めて、アッ、これでイケるんじゃないかと、納得が行く方向が見えて来るわけです。

でも、さきほどの脳みその蓋はいったん開くと、簡単には閉まらないんですいろいろな問題が起こるんです。まず普通の日常生活のことは全部忘れてしまいます。たとえば、女房との約束なんか全く忘れてしまうんです（笑）。

この手紙を出してくれと頼まれても、出し忘れて、ずーっと鞄の中に入っているなんてことがザラにあります。去年『もののけ姫』が終わったとき、一年間、家にいなかったと女房に言われました。僕としては、ちゃんと毎日帰って、朝ご飯も一緒に食べて、弁当をもって家を出るんですが、ほとんど上の空だから、家にいないも同然だというわけです。

そんなわけで、一作が終わって半年くらいは蓋が閉まらないんです。今は『もののけ姫』が終わってまだ四ヵ月ですから、閉まってません。

『自由の森で大学ごっこ』（小学館）より

《解説》聞く人に発見の喜びを与える

宮崎駿さんは、はじめに「僕はおしゃべり好きで、何時間でも苦になりませんが、話すのは下手で……」と言っている。質問があったりして、流れの中で対話をしていくおしゃべりなら話せるが、講演会のように一方的に話すだけ、相手は聞いているだけという状況だと、話がすぐ終わってしまうかもしれないというわけだ。

才能のある人、材料を自分の中に持っている人ほど、質問されると、いろいろなことが飛び出してくる。相手の質問やコメント、何気なく相手が言った一言に触発されて話が出てくる形だ。

話というのは、**触発される力**が非常に重要になってくる。

キング牧師の「I Have a Dream」（137ページ）のように自分から話したいという気持ちを強く持っている場合もあるが、それでも彼は訴えかけている人々の存在に触発されて、ああいう言葉が出てくるのだ。

この宮崎さんの話には、少し前置きがある。どういう立場で自分は話をこれからするのか。あるいは聞き手とどのような関係で話をするのかということを明らかにしているのだ。聞き手に向かって話をする角度、構えを説明しようとしているわけで、ここが長くなりすぎると、モタモタしてしまう。

その点、宮崎さんはうまい。「僕は〝食わず嫌い〟を認める人間なので……」と、アニメーションについて知りたいとは思っていない人もいるでしょうけど、かまいませんよ……と、相手をリラックスさせている。そこから、すぐに重要な話に入る。

おもしろい話をする人の特徴として、いちばん大事なところから入るということが言える。

▶ONE POINT

話を聞いて「これは自分の場合の何にあたるだろう、自分だったらどうだろう」と考える。自分に引きつけて考えることで思考が深まります。

宮崎さんはストーリーを「いちおうは言葉で考える」わけだが、言葉で考えきれないところをどうするかがアニメーションのポイントだと言う。

どうやってそこを突き抜けるか。結局のところ、本当に追い詰められることが大事だということになる。すると「脳みその蓋を開ける」ようなことが起こるという。

「……追い詰められて、必死で考えます。考えているうちに、意識して考えているときには思いつかなかったことが、突然脳みその奥の方から浮き上がって来るんです。僕はこれを〝脳みその蓋を開ける〟って言うんですが」と言う。

さらに「アイデアはどんなときに考えるんですかってよく訊かれますが、アイデアなんかじゃありません」と言う。「アイデアはどうやって出すんですか？」と訊く人には、アニメーションづくりのようなつらい仕事はできませんよ、と暗に言っているのだ。「あなたはそういう気楽な仕事をしているんじゃないですか」というプレッシャーを相手に与えている。聞き手にけっこうキツイ球を投げている。

柔らかい雰囲気の中で、キツイ球を投げるタイプの話しっぷりだ。「アイデアなんかじゃありません」と言われたら、まともな感性の人は、自分たちが「困った」とか、「アイデアを出さなかった」などと言っているレベルは本当に低いんだなと感じるだろう。

宮崎さんの「脳みその蓋を開ける」という経験は、「それをわからなければアニメーションづくりはできませんよ」ということだ。

アニメーションの世界をめざしている人に対して、「脳みその蓋が勝手に開いちゃうぐらい追い詰められてみなさいよ」というメッセージにもなっている。

「君たちね、アニメをつくるからには、徹底的に追いこまれて、脳みその蓋を開ける必要があるんだよ。僕なんかね……」という言い方はしていない。**自分のことを淡々と話しつつ、相手に刺激を与える。**穏やかな中で速い球を投げている。しかし、これだけだと自慢話か「やっぱり宮崎さんは特殊だから」で終わってしまう。ここで副作用について語る。一般的にあ

▶ONE POINT

一流の認識力の持ち主の話を聞くと、視点が重層的で多角的になります。一点に凝り固まるのではなく広がりのある視点を持つことができます。

ることについて副作用を語ると、オチとしておもしろくなる。

いい面ばかりを言ってきて、「でもじつはちょっと悪い面もありまして……」とバランスを取る。

「たとえば、女房との約束なんか全く忘れてしまうんです」で「笑い」が起こっているが、「脳みその蓋はいったん開くと、簡単には閉まらないんです」というところで、聞き手は笑わないといけない。

「脳みその蓋を開ける」までは、だれもがイメージしやすいが、蓋を開けるところまでは行ったけど、「閉めようと思っても閉まらない」というところがおもしろい。

「一作が終わって半年くらいは蓋が閉まらないんです。今は『もののけ姫』が終わってまだ四ヵ月ですから、閉まってません」と言う。

一作つくり終わって、必要もないのに、半年も脳みその蓋が閉まらなかったら大変だ。ほかのことは、全部上の空になってしまう。

創造的な活動をする人は、そのくらい集中しているということを、この「脳みその蓋を開ける」という比喩的な表現で、普通の人にもイメージしやすくさせている。

みんながいちばん聞きたいのは、宮崎駿の頭の中で何が起こっているのかということだ。この話は、そういう聞き手のリクエストにきっちり応えている。そういう意味では、非常に頭がいい、誠実な人だ。**みんなが自分に何を聞きたいのかが、相手よりもよくわかっている。**

この話を聞いた人は、アニメーションにまったく興味のない人でもおもしろいと思える。「脳みその蓋を開けた経験なんてあったかなぁ……」と考えてみる。仕事をやりすぎてテンションが高まり、興奮状態が続いてしまう。どこかで一杯飲んでからではないと家に帰れないよ……といった経験がある人もいるだろう。

そういうことを思い返しながら、この話を、自分をインスパイアしてくれる話として受け取れる。**聞き手が自分の経験の中で掘り下げて考えるためのヒントになる話**だ。

▶ ONE POINT

憧れに憧れる、何かに上達する、自分の技を磨くといったプロセスこそが、自分を社会に位置づけ、自分の内面をも豊かにしていきます。

これがアニメの世界でのみ通用する話だと、聞き手が飽きる。といって「仕事というのはきっちりやることが必要で、自分を追いこむことが必要ですね……」などというのでは、型通りでつまらない。

そこで「脳みその蓋が開く」という表現がキーフレーズになっている。

つまり、「脳みその蓋を開ける」が命題であり、色紙になるフレーズである。このフレーズの横に、小さい字で「しかも簡単には閉まらない」「閉めようと思っても閉まらない」「半年は閉まらない」などと書いておくと、ユーモアも抜群なものになる。

あとがき

韓国であるシンポジウムに参加した。そのときの同時通訳者が非常に優秀な人で、本当にほぼ同時にパネラーたちの話を訳し話してくれた。

これはいいと思い、私は自分の話のときに軽く「つかみ」を試してみた。

「みなさんはピシッと背筋が伸びてらっしゃいますが、少々硬いですね。こうして肩胛骨をぐるぐる回す日本人って見たことありますか～？（ぐるぐる体操をやる）。日本と韓国の間にもいろんな問題がありますが、まぁあまりまじめにカッカしないで、こうして肩胛骨を回すと楽しくなって心もやわらかくなりますよ～」

これで韓国の人たちが大笑いしてくれた。講演が終わってからも、たくさんの韓国の人たちが、肩をぐるぐる回しながら上機嫌に話しかけてくれた。

この話の中に、本書で説明した重要な視点がいくつか提示されている。

1つめは、「話にどれだけ意味があるか」が話すことにおいては大事だということ。ある言語から別の言語へ翻訳して、きちんと伝わるかどうかは、「**意味の含有率**」が高いかどうかにかかっている。

2つめは**ライブ感**が大事であること。その場の空気を感知して聞き手の反応をよく読んで話すことだ。

こういったシンポジウムでは、準備した草稿を読み上げる人も多い。草稿はよく準備されていても、それでは聞き手の心に届かない。そういう人がもっともクリエイティビティを発揮しているのはじつは草稿を書いているときで、話す現場では冷凍パックを解凍しているような味けない作業になってしまっている。それが聞き手にも伝わる。

聞き手は、話し手との間で場を共有してはじめて、その話が腹に落ちてくる。「いま、ここで、私たちの間で意味が生まれている」という喜びが、話を聞くモチベーションを高める。

私は話の草稿はつくらない。文章であらかじめ書くと、それに縛られるからだ。むしろ現場で話をふくらませていく。そうするとライブ感が出て、聞き手の反応がよくなるのが手に取るようにわかる。
「いま、言葉が生まれている」感覚を大切にしている。NHKの「視点・論点」という10分ほどの番組で死生観について話したときも原稿はつくらず、カメラの向こうに人がいると思ってライブ感覚で一人しゃべりをした。

3つめには**ネタの豊富さ**。その場で聞き手にもっとも相応しいテーマや具体的なエピソードを話すには、ネタを多く持っていなければならない。

4つめには**身体性**だ。聞き手に対する声の張り、トーン、身体全体の動きで「自分はこんな人間だ」ということをわかってもらうことだ。

実際、私も大勢の人を前に話す機会は多いが、つねに聞き手と対話する気持ちで、双方向の空気をつくるように話している。そうしてはじめて本当に聞き手の皆さんに、言いたいことが伝わると信じている。

話す力を鍛える「おすすめ本120選」

◆話し方のお手本!

▼カーマイン・ガロ『スティーブ・ジョブズ　驚異のプレゼン』日経BP（井口耕二 訳）

▼D・カーネギー『カーネギー話し方入門』創元社（市野安雄 訳）

▼D・カーネギー『カーネギー　心を動かす話し方』ダイヤモンド社（田中融二 訳）

▼シェリー・ケーガン『「死」とは何か』文響社（柴田裕之 訳）

▼マイケル・サンデル『これからの「正義」の話をしよう』ハヤカワ・ノンフィクション文庫（鬼澤忍 訳）

▼マララ・ユスフザイ、クリスティーナ・ラム『わたしはマララ』光文社未来ライブラリー（金原瑞人、西田佳子 翻訳）

▼ランディ・パウシュ、ジェフリー・ザスロー

『最後の授業』武田ランダムハウスジャパン（矢羽野薫 訳）

▼黒柳徹子『トットちゃんとトットちゃんたち』講談社青い鳥文庫

▼夏目漱石『私の個人主義』講談社学術文庫

▼福沢諭吉『学問のすゝめ』岩波文庫

◆話す体をつくる

▼阿川佐和子『聞く力』文春新書

▼沖正弘『ヨガの喜び』光文社知恵の森文庫

▼観世寿夫『心より心に伝ふる花』角川ソフィア文庫

▼鴻上尚史『コミュニケイションのレッスン』だいわ文庫

▼古今亭志ん生『古典落語 志ん生集』ちくま文庫（飯島友治 編）

▼竹内敏晴『ことばが劈かれるとき』ちくま文庫

▼野口三千三『原初生命体としての人間』岩波現代文庫

▼平田オリザ『わかりあえないことから』講談社現代新書

◆日本語力を鍛える

▼ドストエフスキー『カラマーゾフの兄弟』光文社古典新訳文庫（亀山郁夫 訳）

▼ニーチェ『ツァラトゥストラ』中公文庫（手塚富雄 訳）

▼川端康成『伊豆の踊子』新潮文庫
▼小林秀雄『考えるヒント』文春文庫
▼谷崎潤一郎『陰翳礼讃』中公文庫
▼夏目漱石『坊っちゃん』新潮文庫
▼村上春樹『世界の終りとハードボイルド・ワンダーランド』新潮文庫

◆書くように話す訓練

▼女子パウロ会『愛―マザー・テレサ 日本人へのメッセージ』（女子パウロ会 編、三保元 訳）
▼E・H・カー『歴史とは何か』岩波新書（清水幾太郎 訳）
▼ドストエフスキー『賭博者』光文社古典新訳文庫（亀山郁夫 訳）
▼折口信夫『口訳 万葉集』岩波現代文庫
▼勝海舟『氷川清話』角川ソフィア文庫（勝部真長 編）
▼幸田文『父・こんなこと』新潮文庫
▼志村ふくみ『色を奏でる』ちくま文庫（井上隆雄 写真）
▼太宰治『富嶽百景・走れメロス 他八篇』岩波文庫
▼福沢諭吉『新訂 福翁自伝』岩波文庫（富田正文 校訂）
▼町田康『私の文学史』NHK出版新書

◆論理的に話す訓練

▼ウィトゲンシュタイン『論理哲学論考』岩波文庫（野矢茂樹 訳）
▼デカルト『方法序説』岩波文庫（谷川多佳子 訳）
▼ピーター・F・ドラッカー『マネジメント』ダイヤモンド社（上田惇生 編訳）
▼伊藤和夫『英文解釈教室』研究社
▼内田樹『寝ながら学べる構造主義』文春新書
▼鎌田浩毅『世界がわかる理系の名著』文春新書
▼戸部良一ほか『失敗の本質』中公文庫
▼原仙作『英文標準問題精講』旺文社
▼『与謝野晶子評論集』岩波文庫（鹿野政直、香内信子 編）

◆言葉のセンスを学ぶ

▼トルストイ『文読む月日』ちくま文庫（北御門二郎 訳）
▼ポール・モラン『シャネル 人生を語る』中公文庫（山田登世子 訳）
▼宇野千代『生きて行く私』中公文庫
▼岡本太郎『自分の中に毒を持て』青春文庫
▼小林吉弥『決定版 田中角栄名語録』セブン＆アイ出版
▼藤原正彦『若き数学者のアメリカ』新潮文庫

▼辺見庸『もの食う人びと』角川文庫
▼『まど・みちお詩集』岩波文庫（谷川俊太郎編）
▼三島由紀夫『金閣寺』新潮文庫
▼美輪明宏『紫の履歴書』水書坊
▼矢沢永吉『矢沢永吉激論集 成りあがり』角川文庫

◆わかりやすい解説のお手本

▼ファラデー『ロウソクの科学』岩波文庫（竹内敬人 訳）
▼秋山仁、松永清子『秋山仁のまだまだこんなところにも数学が』扶桑社文庫
▼小須田健『哲学の解剖図鑑』エクスナレッジ
▼桑原武夫『文学入門』岩波新書
▼『講談社の動く図鑑MOVE』シリーズ
▼『科学と科学者のはなし 寺田寅彦エッセイ集』岩波少年文庫（池内了 編）
▼田川建三ほか『はじめて読む聖書』新潮新書
▼筒井康隆『誰にもわかるハイデガー』河出文庫
▼池谷裕二『進化しすぎた脳』講談社ブルーバックス
▼元村有希子『カガク力を強くする！』岩波ジュニア新書

◆対話力の向上

▼エッカーマン『ゲーテとの対話』岩波文庫

（山下肇 訳）

▼コナン・ドイル『シャーロック・ホームズシリーズ』新潮文庫（延原謙 訳）

▼セルバンテス『ドン・キホーテ』岩波文庫（牛島信明 訳）

▼阿川佐和子、檀ふみ『ああ言えばこう食う』集英社文庫

▼河合隼雄、村上春樹『村上春樹、河合隼雄に会いにいく』新潮文庫

▼黒柳徹子、淀川長治『徹子と淀川おじさん人生おもしろ談義』NTT出版

▼『話し上手聞き上手』新潮社（遠藤周作 編）

▼藤原正彦、小川洋子『世にも美しい数学入門』ちくまプリマー新書

▼吉野源三郎『君たちはどう生きるか』岩波文庫

◆コメント力が上がる

▼ノーム・チョムスキーほか『人類の未来』NHK出版新書（吉成真由美 インタビュー・編）

▼ジャレド・ダイアモンドほか『知の逆転』NHK出版新書（吉成真由美 インタビュー・編）

▼ラリー・キング『〝トークの帝王〟ラリー・キングの伝え方の極意』ディスカヴァー・トゥエンティワン

▼池谷裕二、糸井重里『海馬 脳は疲れない』新潮文庫

▼杉山恒太郎『クリエイティブマインド』インプレス
▼檀一雄『わが百味真髄』中公文庫
▼文藝春秋編『戦後生まれが選ぶ洋画ベスト100』文春文庫
▼三島由紀夫ほか『東京オリンピック』講談社文芸文庫
▼柳澤健『1984年のUWF』文春文庫
▼渡辺保『舞台を観る眼』角川学芸出版

◆引用したくなる名言が見つかる

▼オクターヴ・オブリ編『ナポレオン言行録』岩波文庫（大塚幸男 訳）
▼洪自誠『菜根譚』講談社学術文庫（中村璋八、石川力山 訳注）
▼『ゴッホの手紙』岩波文庫（硲伊之助 訳）
▼サン＝テグジュペリ『星の王子さま』新潮文庫（河野万里子 訳）
▼シェイクスピア『マクベス』新潮文庫（福田恒存 訳）
▼スッタニパータ『ブッダのことば』岩波文庫（中村元 訳）
▼ニッコロ・マキアヴェッリ『君主論』講談社学術文庫（佐々木毅 全訳注）
▼『論語』岩波文庫（金谷治 訳注）
▼浅野裕一『孫子』講談社学術文庫
▼金谷治『老子』講談社学術文庫
▼佐藤一斎『言志四録』講談社学術文庫（川上正光 全訳注）

▼松村雄二『辞世の歌』笠間書院

◆偉大な人の器に触れる

▼アンネ・フランク『増補新訂版 アンネの日記』文春文庫（深町眞理子 訳）
▼アンドリュー・カーネギー『カーネギー自伝』中公文庫（坂西志保 訳）
▼M・L・キング『自由への大いなる歩み』岩波新書（雪山慶正 訳）
▼チャップリン『チャップリン自伝』新潮文庫（中野好夫 訳）
▼フランクリン『フランクリン自伝』岩波文庫（松本慎一・西川正身 訳）
▼マハトマ・ガンジー『ガンジー自伝』中公文庫（蝋山芳郎 訳）
▼マルクス・アウレーリウス『自省録』岩波文庫（神谷美恵子 訳）
▼ムハマド・ユヌス、アラン・ジョリ『ムハマド・ユヌス自伝』ハヤカワ・ノンフィクション文庫（猪熊弘子 訳）
▼内村鑑三『代表的日本人』岩波文庫（鈴木範久 訳）
▼黒澤明『蝦蟇の油 自伝のようなもの』岩波現代文庫
▼渋沢栄一『論語と算盤』角川ソフィア文庫
▼杉本鉞子『武士の娘』ちくま文庫（大岩美代 訳）
▼本田宗一郎『俺の考え』新潮文庫

◆もうネタに困らない

▼サマセット・モーム『世界の十大小説』岩波文庫（西川正身 訳）
▼ジャレド・ダイアモンド『銃・病原菌・鉄』草思社文庫（倉骨彰 訳）
▼ダニエル・カーネマン『ファスト&スロー』ハヤカワ・ノンフィクション文庫（村井章子 訳）
▼ユヴァル・ノア・ハラリ『サピエンス全史』河出文庫（柴田裕之 訳）
▼リチャード・ドーキンス『利己的な遺伝子』紀伊國屋書店（日高敏隆、岸由二、羽田節子、垂水雄二 訳）

▼加藤文元『宇宙と宇宙をつなぐ数学』角川ソフィア文庫
▼竹田青嗣、西研『はじめての哲学史』有斐閣アルマ
▼出口治明『一気読み世界史』日経BP
▼松岡正剛『千夜千冊エディション シリーズ』角川ソフィア文庫
▼『もういちど読む 山川世界史』山川出版社（「世界の歴史」編集委員会 編）
▼『もういちど読む 山川日本史』山川出版社（五味文彦、鳥海靖 編）

齋藤 孝（さいとう・たかし）

1960年静岡県生まれ。東京大学法学部卒業後、同大大学院教育学研究科博士課程等を経て、明治大学文学部教授。専門は教育学、身体論、コミュニケーション論。
ベストセラー作家、文化人として多くのメディアに登場。NHK Eテレ「にほんごであそぼ」総合指導を務める。
『身体感覚を取り戻す』（NHK出版）で新潮学芸賞受賞。『声に出して読みたい日本語』（草思社）で毎日出版文化賞特別賞。『読書力』（岩波書店）、『語彙力こそが教養である』（KADOKAWA）、『雑談力が上がる話し方』（ダイヤモンド社）、『大人の語彙力ノート』（SBクリエイティブ）、『こども孫子の兵法』（日本図書センター）など著書多数。著書発行部数は1000万部を超える。

本作品は小社より二〇〇五年八月に単行本として刊行、二〇〇八年四月に文庫化された『人を10分ひきつける話す力』を改題し、新たな解説を加えて再編集したものです。

だいわ文庫

人をひきつける「頭のいい人」の話す力

著者　齋藤 孝

二〇二四年一月一五日第一刷発行

発行者　佐藤 靖
発行所　大和書房
東京都文京区関口一―三三―四　〒一一二―〇〇一四
電話　〇三―三二〇三―四五一一

フォーマットデザイン　鈴木成一デザイン室
本文デザイン　滝澤 博（Isshiki）
本文印刷　厚徳社
カバー印刷　山一印刷
製本　ナショナル印刷

ISBN978-4-479-32078-4
乱丁本・落丁本はお取り替えいたします。
https://www.daiwashobo.co.jp

だいわ文庫の好評既刊

養老孟司
まともバカ
そもそもの始まりは頭の中
解剖学の第一人者が「脳」から考察した人間の生きざま。生と死、言葉と文化、都市と自然…すべての現実は我々の「脳」が決めている!
900円
32-4 C

外山滋比古
考えるレッスン
常識に縛られることなく、自由に発想するために。外山流・思考術の集大成!
680円
289-7 E

鴻上尚史
コミュニケイションのレッスン
コミュニケイションが苦手でも大丈夫! 野球やサッカーでやるように、コミュ力技術アップの練習方法をアドバイス。
680円
189-2 D

出口治明
いま君に伝えたい知的生産の考え方
人・本・旅に学ぶ。無・減・代を考える。数字・ファクト・ロジックを見る…答えのない世界を生きる若者に、出口治明が伝えたいこと。
840円
479-1 G

吉田裕子
大人に必要な読解力が正しく身につく本
「わかったつもり」で本を読んだり、会話をしたりしていませんか? 大人気の国語講師が教える、読む力を確実に向上させる一冊。
740円
454-1 E

樋口裕一
頭の整理がヘタな人、うまい人
「言いたいことがうまく言えない」人は必読!! ポイントのつかみ方、発想法、筋道の立て方、説得方法など、あなたを変えるワザが満載。
619円
27-1 G

＊印は書き下ろし

表示価格はすべて本体価格(税別)です。本体価格は変更することがあります。

だいわ文庫の好評既刊

＊石黒拡親
2時間でおさらいできる日本史
年代暗記なんかいらない！　中学生から大人まで、一気に読んで日本史の流れがざっくり掴める、読むだけ日本史講義、本日開講！
680円
183-1 H

＊祝田秀全
2時間でおさらいできる世界史
「今」から過去を見直して世界史の流れを掴めば、未来だって見えてくる！　スリリングでドラマティックな世界史講義、開講！
680円
220-1 H

＊蔭山克秀
マンガみたいにすらすら読める哲学入門
ソクラテスもカントもニーチェも、実は驚くほどわかりやすくて、身震いするほど面白い。代々木ゼミナール人気講師による哲学入門。
840円
344-1 B

＊吉田敦彦
一冊でまるごとわかるギリシア神話
欲望、誘惑、浮気、姦通、嫉妬、戦い……恋と憎悪の嵐が吹き荒れる！　3万年語り継がれる「神々の愛憎劇」を90分で大づかみ！
800円
256-1 E

＊木村泰司
名画は嘘をつく
「夜警」「モナリザ」「最後の審判」「ラス・メニーナス」「叫び」など、西洋絵画に秘められた嘘を解き明かす斜め上からの芸術鑑賞！
740円
006-J

＊永田美絵
天体のふしぎがわかる星と星座の図鑑
カリスマ解説員がおくる四季の星座・天文現象のふしぎな話。夜空について語りたくなる神話、きれいな写真、かわいいイラスト多数！
1000円
038-J

＊印は書き下ろし

表示価格はすべて本体価格（税別）です。本体価格は変更することがあります。